Une crampe au pied gauche, les mains crispées
sur le volant, des canons de mousquetons qui se
jettent sur le pare-brise, le fracas du
fusil-mitrailleur dans les oreilles,
les maisons et les arbres
qui basculent
— le vol des pigeons juste en train de changer de
couleur en même temps que de direction —
La voix de Négus qui crie...
Puig sortit de l'évanouissement pour retrouver
la révolution et les canons pris... »

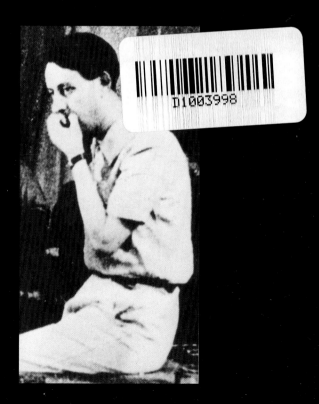

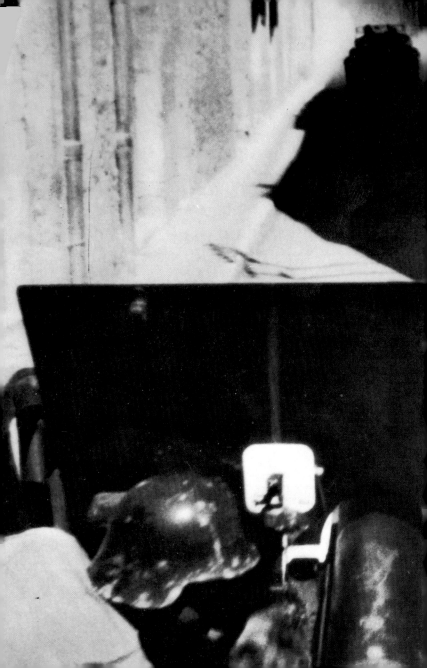

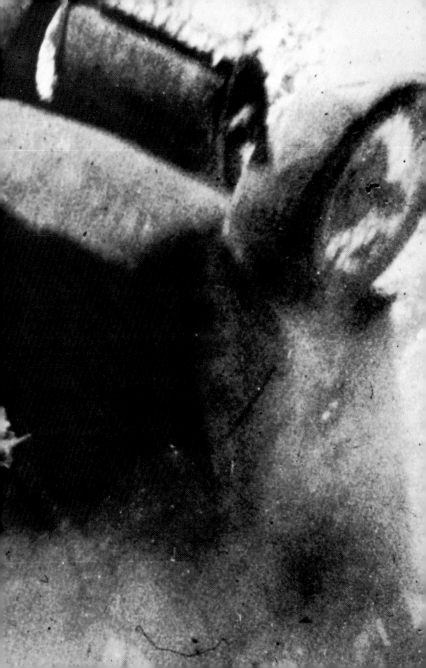

C'est sans doute par
référence aux trois
mousquetaires que
Christian Biet, Jean-Paul
Brighelli et Jean-Luc
Rispail se sont associés en
une triade inséparable. De
concours en agrégation,
leur amitié s'est renforcée
d'une complicité
intellectuelle de chaque
instant. Depuis 1980, ils se
sont lancés dans diverses
aventures éditoriales dont
cette biographie

Tous droits de traduction
et d'adaptation réservés
pour tous pays
© *Gallimard 1987*

1er dépôt légal: octobre 1987
Dépôt légal: juin 1996
Numéro d'édition: 78072
ISBN 2-07-053029-9
Imprimé en Italie
par Editoriale Libraria

MALRAUX
LA CRÉATION
D'UN DESTIN

Biet, Brighelli, Rispail

DÉCOUVERTES GALLIMARD
LITTÉRATURE

"Nous, nous commençons par des tués. Nous, nous sommes des gens dont l'histoire a traversé le champ, comme dans un char. " On est parti la fleur au fusil, on reviendra aveugle, amputé, ou pas du tout. Septembre 1914 : bientôt, les civils le sauront.

CHAPITRE PREMIER
L'ENFANCE D'UN CHEF

A l'aube de la guerre, Fernand Malraux, le père d'André, a tant de goût pour les femmes qu'il en quitte la sienne quatre ans après la naissance de son fils, en 1901.

Oui, bientôt, les civils sauront que la « guerre » est un
mot dont les synonymes sont membres broyés,
ventres ouverts, crânes crevés, cris, hurlements,
hoquets, râles et, pour finir, charnier.

Il n'y a pourtant guère plus d'un mois que la
mobilisation générale a été déclarée – le 1er août –
dans l'enthousiasme, lançant du Midi au Nord ses
trains fleuris vers la revanche : enfin, laver la honte de
Sedan !

« Cette entrée en Alsace, hein, tambour battant,
mon cher !

– Si ça continue comme ça, bientôt on aura passé
le Rhin !

– Nous allons vaincre, parce que Dieu va être
avec nous !

– Parce que nous avons les meilleurs canons, les
meilleurs fusils, les meilleurs généraux et les meilleurs
soldats !

– Hein, qu'ils ont fière allure, tous ces pantalons
rouges, ces capotes bleues, en route vers la gloire ?

– C'est toute la force de la France, ça,
Monsieur : le rire et la colère aux
lèvres ! »

Et puis, en un éclair, malgré
les mensonges des journaux,
on a su les troupes françaises
refoulées sur Nancy, l'armée
belge acculée à Anvers,
Namur bombardée, la bataille
engagée à Charleroi, Liège
enlevée, le Donon et le col
de Saales abandonnés,
l'ennemi à Péronne, Longwy
prise, Maubeuge, puis la
retraite, les Allemands à
Compiègne, à Senlis, le
gouvernement parti pour
Bordeaux, Paris menacé,
enfin l'ordre du jour de
Joffre, dont les termes
disaient la gravité du péril :
« Coûte que coûte, garder le
terrain conquis et se faire tuer
sur place », et l'attente,

et l'immense espérance, et l'Ourcq, le Grand-Morin,
Montmirail, les ennemis repoussés, Lunéville,
Saint-Dié, Raon, Pont-à-Mousson dégagées, enfin la
« victoire » de la Marne.

Alors sont revenus les brancards remplis de
formes rigides, en capote bleue et pantalon
rouge, la tête enveloppée de linges
ne laissant voir qu'un bas de
visage couleur de terre, une
bouche bleuie, des lèvres tendues sur
des dents noircies.

Cela, les civils le sauront bientôt :
les plus conscients comprendront que la
plus grande boucherie de l'histoire
humaine vient de commencer. Les
jeunes garçons de l'école de Bondy,
qu'un instituteur bien intentionné
amène sur les champs de Marne, quelques
jours après la bataille, eux, ne le savent pas
encore. Ils ont treize ans. L'un d'eux,

> « La tranchée est
> pleine de cadavres
> français. Du sang
> partout. Tout d'abord,
> je marche avec
> circonspection, peu
> rassuré. Moi seul avec
> tous ces morts. (...) Je
> pense : « Alors, leur
> sacrifice va être
> inutile ? Ce sera en
> vain qu'ils seront
> tombés ? Et les Boches
> vont revenir ? Et ils
> nous voleront nos
> morts ?... » La colère
> me saisit. « Holà !
> Qu'est-ce que vous
> foutez par terre ?
> Levez-vous debout ! et
> allons foutre ces
> cochons-là
> dehors ! » »
> Maurice Barrès,
> *Debout les morts*

emmitouflé dans sa cape noire battue par le vent,
pose sur la terre ravagée et fumante un regard déjà
triste, profond comme le malheur : c'est donc ça, la
guerre ?

Plus de quarante ans plus tard, devant les bûchers
de Bénarès, il retrouvera l'horreur qui, brusquement,
lui étreint le cœur : « A midi, on nous distribua du

pain que nous lachâmes, épouvantés, parce que le vent le couvrait de la cendre légère des morts, amoncelée un peu plus loin. » Le jeune André Malraux vient de comprendre que, derrière les mots grisants dont s'enivrent les hommes : guerre, gloire, honneur, vengeance – il a lu la veille *les Trois Mousquetaires* –, il n'y a parfois que la mort ignoble.

Alphonse et Adrienne Lamy sont les grands-parents maternels de Malraux ; lui, Jurassien ; elle, Italienne...

Pour beaucoup d'écrivains , les souvenirs d'enfance sont l'objet d'une interrogation inquiète, amère ou émerveillée. Malraux a mis toute son énergie à faire croire qu'il est né adulte

Puisque les bébés, même futurs génies, ne naissent pas dans les choux, il faut bien que le Georges-André Malraux qui voit le jour un 3 novembre 1901, au pied de la butte Montmartre, ait des parents. Mais, à l'entendre, le moins possible. « Je n'aime pas ma jeunesse : la jeunesse est un sentiment qui vous tire en arrière. Je n'ai pas eu d'enfance. »

Cette enfance qu'il refuse, il est vrai que Malraux n'a jamais voulu en parler. A personne. D'ailleurs, toute biographie n'était pour lui, il l'a dit et répété, qu'un « misérable petit tas de secrets ». Et encore, tout au début des *Antimémoires* : « Presque tous les écrivains que je connais aiment leur enfance, je déteste la mienne. »

Quoique parisien, Malraux est du Nord – comme de Gaulle, de cette terre des Flandres où l'on ne sait jamais où s'arrête la mer. Plat pays où, lors des épousailles rituelles de la vie et de la mort, les hommes lancent vers le ciel bas et lourd des géants de carnaval qui gardent quelque chose des macabreries de Bosch et de Bruegel.

La famille du père, Fernand, appartient à la petite bourgeoisie. Le personnage le plus pittoresque est indéniablement le grand-père, Alphonse. Homme sec, énergique, portant barbiche et haut-de-forme, terre-neuvas, tonnelier, taste-vin et armateur ruiné, vivant, quand le jeune André le connut, dans le souvenir de la flottille qui faisait sa fierté jusqu'à cette fatale tempête d'une nuit de décembre. Quand il va en vacances à Dunkerque, le petit Parisien ne se lasse pas d'écouter les récits épiques de ce grand-père un peu hurluberlu, perpétuellement indigné, flanqué d'un perroquet, Casimir, qui lui répète à longueur de journée sur tous les tons : « Fais ce que dois ! » Il avait, dit-on, élevé sa petite dernière en l'enfournant l'hiver dans un grand poêle de faïence.

Las ! Selon la tradition orale familiale, ne voilà-t-il pas qu'un jour de 1909, ce jeune homme de soixante-huit ans s'est mis en tête de montrer à un jeune ouvrier, trop lent à son goût, comment de son temps on fendait le bois des proues ? Le bras encore vigoureux élève la lourde hache à double tranchant. Coup de vent, éblouissement ? Un choc sourd : Alphonse Malraux gît à la renverse dans une mare de sang, la tête ouverte. La mer, le ciel, le vent, ont eu raison du vieux Viking.

Longtemps, Malraux croira que son grand-père s'est suicidé. Il en hérite une flottille de maquettes, un habit de marin, et le souvenir de quelques mots bougonnés : « Avoir quatre fils, et pas un seul écrivain ! Si l'un d'eux l'était, je serais le plus heureux des hommes. »

Fils de parents séparés, vivant chez sa mère, un enfant habité de rêves ne pouvait que choisir le père...

Fernand, le père du jeune André, est le cadet des fils. Un vrai personnage de Maupassant : à vingt-deux ans, il n'a eu qu'à faire frémir son sourcil altier, à lisser sa moustache avantageuse et à planter son œil impérieux dans celui, alangui, de Berthe Lamy pour l'épouser. Personnage fort séduisant, semble-t-il. Rêveur qui se prend au sérieux parce que sa fantaisie s'exerce au réel. Inventeur, selon Clara, de « ce qui fut cent fois inventé : pneu increvable, lampe incassable, bouteille inversable, dont la réalisation se heurte à des intérêts qu'il soupçonne à peine ». Et, ajoutera Malraux dans *la Voie royale*, « de porte-cravates, de démarreurs, de brise-jet ».

> « J'ai peu et mal appris à me créer moi-même, si se créer, c'est s'accommoder de cette auberge sans routes qui s'appelle la vie. J'ai su quelquefois agir, mais l'intérêt de l'action, sauf lorsqu'elle s'élève à l'histoire, est dans ce qu'on fait et non dans ce qu'on dit. Je ne m'intéresse guère. »
>
> André Malraux, *Antimémoires I*

Paradoxalement, très au fait des choses de l'argent, puisqu'il dirige une agence de banque américaine, mais sans grand profit personnel. Aussi la façon dont il assure la subsistance du ménage est-elle un tantinet aléatoire.

Berthe Lamy, la mère, tient de sa mère italienne – et cultivée – une beauté brune, longue et fine, dont Fernand s'est amouraché. Mais elle se rend bientôt compte que son trop fringant mari, doué de « cette parole aisée des hommes qui aiment les femmes et que les femmes aiment », est sans aucun doute, au dire des amies bien intentionnées, meilleur amant qu'époux. « Si vous continuez, j'appelle le garde-champêtre ! » trépigne le jeune Malraux lors d'une énième scène de ménage.

Tout en continuant à se voir, les parents se séparent quand Malraux a quatre ans. Ils ne divorceront véritablement que quinze ans plus tard. Histoire banale : madame retourne chez sa mère, dans la petite épicerie banlieusarde de Bondy, le gosse sous le bras. C'est là, au 16, quai de la Gare, qu'il grandit dans le gynécée du clan maternel, entre une mère Berthe, une grand-mère Adrienne et une tante Marie.

Grâce au bottin de l'étranger, découvert au hasard d'un de ces jeux qui ne laissent sans doute jamais rien au hasard, il s'évade dans des voyages imaginaires, porté par les noms de ville aux sonorités mystérieuses.

Déjà grand seigneur, où se rêvant tel, et, notent ses professeurs, d'une personnalité très affirmée : à dix ans, ayant une infection au genou, il risque la gangrène. Une amputation est envisagée. Appelés en hâte, médecins et chirurgiens se consultent au chevet du jeune malade immobilisé. Au moment où ils partent, celui-ci lance d'une voix de théâtre : « Cette fois-ci, je ne vous reconduirai pas, messieurs », qui vaut bien le « *macte animo, generose puer !* » de Chateaubriand.

Contre l'étouffoir maternel, mais sans se révolter, Malraux choisit le père : les absents ont toujours raison. Les visites hebdomadaires qu'il lui rend sont une fête où le jeune garçon prend des leçons de paraître : ce robuste et jovial personnage, qui a des avis sur tout, des conquêtes qu'on devine nombreuses, et la tête pleine de projets cocasses, l'impressionne au plus haut point. Contre une banlieue trop grise, il choisit la lecture : après l'émerveillement des *Trois Mousquetaires* et de Walter Scott, c'est Flaubert – celui de *Bouvard et Pécuchet* et de *Salammbô* –, Hugo – « Vous êtes mon lion superbe et généreux » –, Shakespeare – celui de *Macbeth* –, enfin Balzac – celui de Rastignac.

Et puis à treize ans, c'est la guerre. La nuit, on entend souvent les échos du canon. Un jour, les taxis de Gallieni n'arrêtent pas de défiler sur la route voisine. Un peu plus tard, c'est la visite aux champs de Marne et la poussière des morts.

« Nous autres, civilisations, nous savons maintenant que nous sommes mortelles. Et nous voyons maintenant que l'abîme de l'histoire est assez grand pour tout le monde »

A dix-sept ans, Malraux quitte ce que l'on appelait alors une école primaire supérieure, n'est pas admis au lycée Condorcet, et renonce au baccalauréat. Foin des « valeurs de considération » !

Sur cette période de formation d'autodidacte, nous ne savons presque rien. Mais deux ans plus tard, il brillera, par l'étendue de sa culture et son aisance à parler de tout, dans les milieux littéraires et artistiques de Paris : certains esprits trouvent d'instinct les voies qui leur conviennent.

Séparée de son mari, puis divorcée, Berthe Lamy vit à Bondy, dans la banlieue parisienne, avec son fils unique André. Celui-ci, à six ans, a l'air d'un gamin au front soucieux barré d'une mèche rebelle, qu'égaient deux grandes oreilles écartées , le seul trait enfantin peut-être de cet enfant grave. Quelques années plus tard, au lycée Turgot, ces cheveux de jais, ce teint mat, cet œil sombre le feront surnommer l'Espagnol.

Le soir du 10 novembre 1918, il se promène dans le quartier des Pyramides. Un flot le saisit : « Dans la rue on s'embrassait, on s'interpellait, on s'étreignait.. Je sors du métro à la station Louvre. Un type m'aborde, me barrant résolument la route : " Il est signé ! " s'écrie-t-il. » Le lendemain, la France entière apprend la fin de la guerre.

Malraux est au moins autant le fils d'une époque que celui de ses parents : il appartient juste à la génération qui, tout en étant trop jeune pour être mobilisée, s'éveille à la vie au moment où l'Europe s'écroule. Pas à la génération des sacrifiés, des gazés, des brûlés ou des héros morts dont *le Feu* de Barbusse a fait connaître l'enfer dès 1916 – il a manqué la conscription d'un an –, mais à celle qui les comptera en 1918. A ces adolescents qui, selon la formule d'un contemporain, « ont grandi dans l'indépendance extrême d'un temps où ils avaient pour maîtres des femmes qui s'abandonnaient aux sollicitations de leurs nerfs, des vieillards soucieux et des réformés sans prestige ».

D'un côté, cela peut vous mettre *le Diable au corps*, que publiera Radiguet quelques années plus tard : ma foi, à dix-sept ans, quand les poilus sont au front, leurs femmes s'ennuient. De l'autre, cela vous donne une sacrée lucidité. Dans des copies de baccalauréat de 1919 (donc de jeunes qui, comme Malraux, avaient treize ans en 1914), à la question « Que constate un homme éclairé lorsqu'il regarde le monde ? » on trouve ces réponses hautement significatives du nouveau « mal du siècle » qui est en germe : « Le monde moderne est l'image du triomphe universel de la folie », « Le spectacle de la vie est triste », « Comment ne pas voir la méchanceté et la turpitude de l'existence ? »

Le jeune Malraux, lui, en a déjà tiré une double conclusion. La première, confortée par la lecture de Nietzsche : la civilisation occidentale est morte, toutes les valeurs sont à réinventer. Plus de filet pour recueillir le trapéziste, plus de garde-fou rassurant – honneur, famille, patrie, devoir – le long de la passerelle qui enjambe l'abîme : « Europe, grand cimetière où ne dorment que des conquérants morts et dont la tristesse devient plus profonde en se parant de

« Je tiens les bouquinistes pour les êtres les plus délicieux que l'on puisse rencontrer, et, sans doute participent-ils avec élégance et discrétion à ce renom d'intelligence dont se peut glorifier Paris. Le pays du livre d'occasion a ses frontières aussi. Il va du quai d'Orsay au jardin des Plantes, sur la rive gauche, et de la Samar, comme on dit, au Châtelet, sur la rive droite. »
Léon-Paul Fargue, *le Piéton de Paris*

leurs noms illustres, tu laisses autour de moi qu'un horizon nu et le miroir qu'apporte le désespoir, vieux maître de solitude », écrira-t-il quelques années plus tard.

La deuxième, plus pragmatique : dans la vie, il faut se débrouiller. Et c'est ce qu'il fait, avec maestria.

Malraux, en 1920. « Entre dix-huit et vingt ans, la vie est comme un marché où l'on achète des valeurs, non avec de l'argent, mais avec des actes. »

« On n'est pas sérieux quand on a dix-sept ans », a dit Rimbaud. Mais ça n'empêche pas d'être ambiteux, ni d'avoir du flair

Au 9 *bis* de l'obscure galerie de la Madeleine, s'ouvre à l'enseigne de ' La Connaissance ' un modeste cabinet de lecture. René-Louis Doyon est un jeune libraire qui connaît la littérature, hélas pour lui. Car à force de proposer obstinément à sa clientèle modeste les œuvres de Proust, Villiers de l'Isle-Adam ou Rémy de Gourmont, il a presque réussi à la faire fuir. Alors, faisant contre mauvaise fortune bon cœur, il a décidé de se lancer dans le commerce des livres rares, et, pourquoi pas, dans l'édition pour amateurs éclairés : en cette guerre qui s'éternise, avec cette monnaie qui se déprécie, le bourgeois est en quête de petits placements sûrs.

Malraux ne fait ni une ni deux.

Certes, depuis qu'il a quitté Bondy, son père lui verse quelques mensualités qui l'aident à vivre, mais – il a dix-huit ans – le goût de l'indépendance l'a saisi.

1re Année — No 1   Janvier 1920

La Connaissance

Revue de Lettres et d'Idées

DIRECTEURS :

René-Louis DOYON | Edouard WILLERMOZ

SOMMAIRE

Connaître, *memento du mois.*

HORS TEXTE :

La Torture par l'Espérance, **dessin inédit de HENRY de GROUX.**

REPRODUCTION INTERDITE

On se lasse de tout

En venant tous les jours chiner sur les quais de la Seine avec son ami Chevasson, il s'est acquis une culture bien à lui d'encyclopédiste fureteur, et une maîtrise plus que passable de l'art de la bibliophilie. Un don pour dénicher le burlesque inconnnu du XVIIe siècle, l'obscur mystique allemand du XIVe, les poètes maudits et faméliques mis à la mode par Verlaine, une bien belle mythologie, mais dont il a fait assez vite le tour. Comme il fait d'ailleurs à l'époque rapidement le tour de toute chose. Pourquoi ne pas en tirer profit ?

Quand, un jour de 1919, il pousse la porte de la petite librairie, René-Louis Doyon lève à peine la tête pour saluer ce jeune homme d'allure distinguée : encore un courtois mais pressé : encore un étudiant en mal de vers à l'eau de rose pour torcher quelque poème insipide à la lingère dont il s'imagine éperdument amoureux.

« Je peux vous fournir toutes les éditions rares que vous recherchez. »

Monsieur Doyon a levé les yeux.

Malraux devient son fournisseur attitré. Chaque jour, à onze heures, il apporte sa moisson, réclame son dû, et disparaît jusqu'au lendemain.

Un an plus tard, Doyon, dit le Mandarin, lance une revue mensuelle, *la Connaissance*, qui se donne pour but de « recueillir, noter, synthétiser, jeter des idées, en défendre, peut-être en combattre », pour contrer cette jeunesse « d'indifférents et de dégoûtés auxquels une messe rose et psychique, une pièce d'un Wolf ou d'un Croisset, un office à la Madeleine, les chansons de Mayol, un film simpliste, le déhanchement d'un fox-trot, l'admiration affectée d'arts incompréhensibles enlèvent la pensée des devoirs sociaux ». « L'heure des constructeurs a sonné », proclame-t-il de manière un peu grandiloquente.

Malraux, sollicité, y collabore avec un article – son premier – sur « Les origines de la poésie cubiste » : les symbolistes y sont égratignés, et Max Jacob, Pierre Reverdy, Blaise Cendrars, appréhendés avec des formules dont la justesse de vue frappe chez un lecteur de dix-neuf ans. Mais, déjà, d'autres ambitions le tenaillent : chez un curieux boucanier des lettres, Simon Kra, installé 6, rue Blanche, il prend la

René-Louis Doyon est impressionné et séduit par les jugements caustiques de ce jeune homme et son « air de dépasser le monde auquel il était mêlé chaque jour ». Malraux lui propose de rééditer des ouvrages qui sentent le soufre, tels *la Vie de Rancé* de Chateaubriand, *le Cachet d'onyx* et *Léa* de Barbey d'Aurevilly, les *Lettres à Pauline* de Stendhal et *la Mystique chrétienne* de Görres : magie, nécromancie, pacte démoniaque, sorcellerie, le tout à la sauce révolutionnaire.

direction des Editions du Sagittaire. Voilà un domaine où son flair et son goût pour le graphisme vont pouvoir se donner libre cours : l'édition d'art à tirage limité. Ajoutons, à dire vrai, quelques éditions clandestines d'œuvres vouées à l'enfer des bibliothèques, comme *les Amis du crime* ou *le Bordel de Venise*, de Sade.

« Entre dix-huit et vingt ans, la vie est comme un marché où l'on achète des valeurs, non avec de l'argent, mais avec des actes. La plupart des hommes n'achètent rien », aurait confié un jour Malraux à Julien Green.

Symboliquement, à *la Connaissance* va succéder une autre revue, *Action*. Au semi-éditeur de livres introuvables, assez rat de bibliothèque semble-t-il, l'aventurier de l'esprit. Et aux amitiés adolescentes, Clara.

De style viril, combattant toutes décadences et avant tout créatrice, « Action » ne s'attachera qu'à étudier les hommes vivants et leurs œuvres

Action est une revue de gauche, un peu anarchisante même à ses débuts, bien dans le ton inventif et irrespectueux de cette jeunesse d'après-guerre.
Elle affiche la provocation destinée à choquer le bourgeois : son premier numéro s'ouvre sur un « Eloge de Landru », auteur généreux d'une

dizaine de meurtres de femmes, rapidement surnommé par les journalistes « le Fregoli du crime » ou « le nouveau Barbe-Bleue ». Mais après tout, quand un monde en folie vient d'immoler dix millions d'hommes, dix femmes de plus ou de moins, la belle affaire !

C'est à cette revue que Malraux donne ses premiers articles ou fictions : l'une d'elles a pour titre révélateur « Journal d'un pompier du jeu de massacre ».

Avec son compère Gabory – l'auteur dudit Eloge –, Malraux fait la tournée des bars à la mode – le Frolic's, le Forum, l'Austin's Bar –, fréquente les grands restaurants, tourne au dandy, capes doublées de soie, rose à la boutonnière, s'encanaille aussi dans les lieux de plaisir montmartrois où les serpentins, les boules de couleur, les jambes gainées de soie jaillissent de bouillonnements de dentelles. « Nous étions jeunes, Malraux et moi, séduits par l'étalage de la dépravation réelle ou feinte. »

C'est à un des dîners organisés par la revue, un de ces dîners où se serrent aussi bien les mains à plume (Cendrars, Suarès, Cocteau, Aragon, Radiguet, Eluard, Tzara, Arland) que les mains à pinceau (Derain, Braque, Chagall, Juan Gris, Gromaire, Lhote, Dufy, Léger, Galanis) que Malraux rencontre Clara, ou peut-être le contraire.

Clara Goldschmidt, riche héritière d'une famille allemande émigrée, est immédiatement séduite par ce grand garçon élégant, aux manières aisées, qui met dans ses propos toute l'intelligence et la coquetterie verbale dont il est capable.

Lui, ma foi, est sensible au charme volontaire de cette jeune fille au cheveu noir et aux yeux pers, fort vive, pétillante d'esprit, cultivée, qui incarne bien – mais au féminin – le goût pour la liberté et l'indépendance qui l'anime alors.

« Je retourne en Italie au mois d'août, dit-elle.

La revue *Action*, dirigée par Florent Fels, accueille André Malraux en avril 1920. Dans un article sur André Gide, il lui reconnaît le « désir de ne jamais s'enfermer intellectuellement, c'est le désir de devenir supérieur à ce qu'il croit être ».

« Un jeune homme est assis parmi une trentaine de personnes, autour d'une table de banquet et c'est lui qui, pendant des années, comptera plus pour moi que tous les autres êtres. A cause de lui, j'abandonnerai tout, comme les Evangiles l'exigent de ceux qui aiment : tu quitteras ton père et ta mère. (...) C'est un très long et mince adolescent, aux yeux trop grands, dont les prunelles ne remplissent pas l'immense globe bombé : une ligne blanche se dessine sous l'iris d'un vert délavé. Plus tard je lui dirai : vos yeux plafonnent, plus tard je penserai à ses ancêtres marins qui devaient avoir ce regard lointain, absorbé, plus tard j'ai pensé – assez sottement sans doute « il ne sait pas regarder les gens en face ». »

Clara Malraux, *le Bruit de nos pas*

– Je vous accompagnerai », dit-il.

Il lui parle des poètes du haut Moyen Âge, des satiriques français. Elle lui parle de Hölderlin et de Novalis. Il l'emmène au musée Gustave-Moreau, elle lui fait découvrir les recoins secrets du Trocadéro. Ils ont vingt ans. Il lui dit : « Je ne connais qu'une personne qui soit aussi intelligente que vous : Max Jacob. » Elle répond : « C'est agréable d'être intelligente, car on plaît aux hommes intelligents. »

Et lui : « Vous n'avez jamais été dans un bal musette ? » Non, jamais

« Mais qu'est-ce que ton camarade fait ici en pleine nuit ? – Il m'a déposée et il est venu prendre un livre. – Ah, bon ! » a dit maman

Saine réponse à la faillite d'une civilisation : danser sur les morts. C'est le début du tourbillon étourdissant des années folles. La génération perdue se retrouve pour écouter, au Bœuf sur le toit, le cabaret lancé par Cocteau, les deux célèbres pianistes Wiener et Doucet, se griser de musique et parfois de drogue. Face à ce tourbillon, la java, dans les bals musettes de la Bastille, étire gaillardement son rythme brisé. Mais pour une jeune fille de bonne famille, ceux de la rue Broca, sont plus dépaysants : va donc pour la rue Broca.

La jeune fille de bonne famille détonne bien un peu, et ses diamants attirent bien les regards. « Ne refusez pas », lui a dit Malraux quand le premier marlou est venu l'inviter. Elle, qui ne supporte qu'« Après l'ondée » de Guerlain, se laisse entraîner dans le flot bruyant, où l'odeur des corps se mêle à celle du Pernod et des parfums bon marché.

A la sortie, des bruits de pas derrière eux, des silhouettes les doublent. Au coude obscur d'une passerelle, ils sont là, silencieux, menaçants. « Après le coup de revolver des autres, il y a eu un coup de revolver de notre côté. Le tout très vite, puis le silence. Et la main gauche de mon protecteur, blessée, que je prends dans ma main en une première étreinte intime. » Le soir même, elle se donne à lui. Puis, après le voyage en Italie, on s'épouse, à l'essai et à la mode, pour six mois. Une grande histoire d'amour vient de commencer. « Sans vous, lui dira-t-il un jour, je n'aurais jamais été qu'un rat de bibliothèque. »

La guerre mondiale amènera en France une nouvelle musique, le jazz. Après 1918, le blues et le style New Orleans déferlent sur Paris, principalement dans le quartier Montparnasse, devenu le principal centre intellectuel et artistique de la capitale.

" C'est l'époque nègre, l'époque jazz, celle de la robe chemise, des nuques tondues, du cubisme apprivoisé, des audaces sexuelles, des actes gratuits et des suicides sans raison. Le veau d'or est toujours debout, mais on n'en parle pas. C'est un bœuf qui domine les toits de Paris. "

André Fraigneau

Cosmopolitisme, innovation perpétuelle, floraison en –isme : expressionnisme, simultanéisme, futurisme, tactilisme, dadaïsme, surréalisme. En deux ans, dans un monde artistique en pleine explosion, Malraux réussit le tour de force de se voir sacrer génie sans avoir encore rien écrit de conséquent.

CHAPITRE II
L'AVENTURE
D'UN RÉVOLTÉ

« Aller en Asie, naguère, c'était pénétrer avec lenteur dans l'espace et dans le temps conjugués. L'Inde après l'Islam, la Chine après l'Inde, l'Extrême-Orient après l'Orient ; les vaisseaux de Sinbad abandonnés à l'écart d'un port des Indes dans le soir qui tombe, et après Singapour, à l'entrée de la mer de Chine, les premières jonques comme des sentinelles. »

André Malraux,
Antimémoires I

En Clara, Malraux a rencontré la seule femme avec laquelle il puisse causer des rêves qui l'habitent. Mais on n'habite pas un rêve : le jeune ménage s'installe donc chez les Goldschmidt, dans le petit hôtel particulier d'Auteuil. Les parents font un peu grise mine. « Tu aurais dû choisir le père, il est beaucoup mieux que le fils », a dit la tante Jeanne à Clara en sortant de la mairie.

Le cosmopolitisme est à la mode, et l'on s'enlève réciproquement dans tous les trains qui sillonnent l'Europe : Clara est presque allemande, puisque autrichienne, donc c'est d'abord l'Allemagne et la découverte du cinéma expressionniste : le *Nosferatu* de Murnau, le *Docteur Mabuse* de Fritz Lang, le *Danton* de Buchowetzki. Puis la Grèce, puis la Tunisie puis l'Italie encore puis la Belgique puis la Tchécoslovaquie puis l'Espagne puis... Seule l'URSS échappe à cette fureur nomade.

« Nous vivions tantôt ici, tantôt là, parfois à Paris, merveilleusement libres de nos mouvements, conquérant chaque jour un aspect de la terre, jouissant de nos corps et de nos têtes, nous affrontant à travers les connaissances que nous acquérions grâce aux voyages, aux lectures, aux longues promenades dans les musées, les galeries, aux heures passées dans les cinémas, les boîtes de nuit, aux ballets russes – les vrais – au théâtre – assez peu –, à traîner dans les rues, sous des voûtes et des colonnades, à boire sur des places des anis blanchâtres, des thés à la menthe, à nous croire riches, à ne l'être que peu », résume Clara.

> « ...Ainsi qu'une annonce lumineuse, la lune jaune se colora successivement en rouge, en bleu, en vert ; puis, ding ! elle fut jaune à nouveau. Une note aiguë en tomba, comme une petite grenouille et, sur le lac, les perspectives nacrées des jeux d'eau devinrent infinies... »

ANDRÉ MALRAUX

LUNES EN PAPIER

PETIT LIVRE OÙ L'ON TROUVE LA RELATION
DE QUELQUES LUTTES PEU CONNUES
DES HOMMES, AINSI
QUE CELLE D'UN
VOYAGE PAR-
MI DES
OBJETS
FAMILIERS
MAIS ÉTRANGES

LE TOUT SELON LA VÉRITÉ

ET ORNÉ DE GRAVURES SUR BOIS ÉGALEMENT TRÈS VÉRIDIQUES
PAR

FERNAND LÉGER

ÉDITIONS DE LA
GALERIE SIM
29 bis, Rue d'Astorg
PARIS

Car tout de même, il faut bien vivre. Kahnweiler, le lanceur du cubisme, a rouvert après la guerre une galerie au 29 *bis* de la rue d'Astorg. Max Jacob lui a présenté Malraux, qui, comme d'habitude, fait grosse impression. En 1921, il publie chez Kahnweiler des *Lunes en papier* passablement loufoques, illustrées par Fernand Léger, et tirées à cent exemplaires. L'écho de la presse est modeste pour ce petit livre de luxe où « André Malraux, l'éventreur de poupées, est aussi marchand de ballons rouges ou montreur de marionnettes (...), fait danser élégamment les sept péchés capitaux, la Mort en smoking et d'autres personnages bien sympathiques. » (*dixit* le complice Gabory).

Chez l'éditeur, Malraux rencontre Galanis, Derain, Juan Gris, Chagall, Picasso, Braque.

Quand Max Jacob réunit ses amis au café de la Savoyarde, Malraux les éblouit tous et les irrite par son énorme culture. Il publie quelques articles remarqués

A vingt ans, ses goûts sont définis. Pour la littérature, d'abord les grands visionnaires de l'action : Hugo, Michelet, Dostoïevski, Stendhal, Nietzsche, Barrès. Mais aussi ceux qui transcendent le monde par leur poésie : Mallarmé, Apollinaire, Cendrars, Reverdy, Hoffmann. Ceux qui l'interrogent avec cocasserie : Laforgue, Gogol, Jarry, Tailhade. Ceux qui flottent joyeusement sur son instabilité : les baroques français, Cyrano de Bergerac, Claude d'Esternod, Sigogne. Mais aussi les historiens byzantins, les fatrasies du Moyen Age, les discours de Bruscambille, les récits de voyage et les dictionnaires.

Pour la peinture : Picasso, la création absolue selon des formes géométriques ; Braque, le lyrisme dominé par la volonté ; Léger, épris d'ordre et de construction, plus coloriste, mais où la couleur n'est jamais qu'un moyen de définir la forme. Et aussi, les primitifs florentins et français, les diabolistes flamands, le fantastique : Ensor, qu'il est allé visiter à Ostende dans sa boutique remplie de coquillages biscornus, de masques et de sirènes, Rodolphe Bredin. Bref, tout ce qui, d'une manière ou d'une autre, offre l'image d'un art idéalement autonome, échappant à l'imitation, ne

Lunes en papier est dédicacé à Max Jacob : ce poète cubiste, relais d'Apollinaire, influença durablement les premières années de Malraux. A la même époque, l'écrivain se reconnaît quelques maîtres : des poètes du siècle précédent, Laforgue, Lautréamont, Corbière ; un philosophe, Nietzsche et trois auteurs modernes, Gide, Claudel, Suarès. Des surréalistes, il semble faire peu de cas, même si *Lunes en papier* n'est pas dépourvu de provocations iconoclastes qui auraient pu être reconnues par Tzara ou Breton.

" Notre admiration tient au lien de ce génie avec la révolution picturale la plus importante du siècle, au rôle décisif joué par Braque dans la destruction de l'imitation des objets et des spectacles. Et sans doute le caractère le plus pénétrant de son art est-il de joindre, à une liberté éclatante et proclamée, une domination des moyens de cette liberté, sans égale dans la peinture contemporaine ".

Oraison funèbre de
Georges Braque

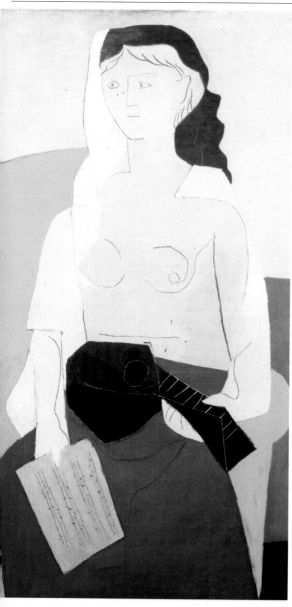

Dans les années 1920, Picasso et Braque sont deux frères en peinture, également aimés de Malraux. Le *Nu assis* de Braque (en haut à gauche), *les Baigneuses regardant un avion* (en bas à gauche) et *la Musicienne* de Picasso, caractéristiques du cubisme, ont été souvent jugés « provocateurs et gratuits après avoir été appelés mystificateurs ou idiots »

renvoyant qu'à lui-même ou à la puissance de l'imaginaire.

Un soir, débarque chez les Malraux André Salmony, attaché au musée de Cologne, qui prépare une exposition ambitieuse sur l'art universel. C'est pour Malraux la confirmation qu'il existe une réponse à la quête fulgurante et acharnée qu'il poursuit dans le dédale des siècles. « Il sortit, raconte Clara, puis mania avec une adresse de caissier une liasse de photographies qu'ensuite, quand elles furent étalées sur la table, il rapprocha les unes des autres selon une volonté subtile. Pour la première fois je me trouvais devant une sculpture thaï. Puis ce fut le mariage d'une tête han et d'une tête romane. Bouleversés, nous nous tenions devant ces connivences nouvelles pour nous, nous demandant si les volontés qui avaient suscité ces œuvres voulaient atteindre une même zone de sensibilité ou si, au contraire, leur parenté se limitait aux seules formes. Salmony s'en fut, laissant chez nous quelques-unes de ses précieuses photos, laissant aussi, mais en nous, l'intuition d'une prise nouvelle sur l'univers. »

Malraux travaillera toujours de la même manière pour ses livres sur l'art : il étale devant lui les reproductions des œuvres, les confronte, les rapproche, réalisant sur le plancher de son bureau des confrontations esthétiques que le temps et l'espace n'auraient jamais dû permettre, mettant ainsi en évidence les rapports entre des « imaginaires » que l'on croyait incompatibles.

Ça ne suffit toujours pas pour vivre. Le soir, Malraux étale sur une vaste table des papiers recouverts de caractères d'imprimerie, d'ornements typographiques, d'illustrations, prend ses ciseaux et sa colle, et « monte » des livres.

Et surtout, il boursicote. Un temps, le signe + s'inscrit de manière réjouissante à côté des actions confiées à un agent de change. Joueur, Malraux investit presque tout dans une vague entreprise minière mexicaine, dont les représentants moustachus et bronzés lui ont paru sympathiques. Las ! au retour d'un voyage sur le Rhin où les amants insouciants se récitent la *Lorelei* (« Tout le temps que dura la descente, nous ne lûmes pas un journal. ») la Bourse de Paris s'est effondrée, ils sont ruinés.

Génie universel, sans doute. Désargenté, soit.
Mais plein de ressources, assurément

Au cinéma, Charlot enchante les foules de ses
tressautements. Au café, on fume l'américaine, on boit
des cocktails et on danse le boston.
Dans un Paris qui s'étourdit de fête et un monde qui
redécouvre son immensité, pas de spectre plus
redoutable que celui de la pauvreté. Alors, que faire ?

Contre une mère trop présente, Malraux avait
choisi le père absent. Contre la vieille Europe qui joue
les funambules sur l'abîme de l'Histoire, il va répondre
à l'appel de l'Asie éternelle.

« Vous ne croyez tout de même pas, chère amie,
que je vais travailler ?

– En effet, je ne le crois pas, mais alors. »

Au cours de ces brèves années de folie, Malraux a
trouvé le temps de suivre vaguement quelques cours

**« Il y a un peu plus
de vingt ans, quand
Picasso vint s'établir
aux environs de La
Rotonde, tout le
monde comprit à Paris
qu'une colonie
nouvelle, qui
s'étendrait jusqu'à la
porte d'Orléans, allait
remplacer la rue Lepic
agonisante. »**

Léon-Paul Fargue,
le Piéton de Paris

aux Langues orientales, de fréquenter assidûment le
musée Guimet, où se trouvent rassemblés les joyaux
de l'art khmer. En dépouillant le *Bulletin* publié par
l'Ecole française d'Extrême-Orient, il est tombé sur un
article de 1919, d'un certain Parmentier, décrivant les
magnifiques sculptures d'un petit temple récemment
découvert au nord-est d'Angkor-Thom, Banteai-Srei.

« Alors. Connaissez-vous le chemin que suivaient,
de Flandres en Espagne, les pèlerins de Compostelle ?

– Non, répond Clara un peu surprise.

– Cela n'a pas d'importance. Ce chemin était jalonné de cathédrales qui, pour la plupart, sont parvenues jusqu'à nous relativement intactes. Mais il existait sûrement, en plus de ces grands sanctuaires, de petites chapelles dont beaucoup ont disparu.

– Ah, fait-elle. Je n'avais jamais réfléchi à la question.

– Eh bien, du Siam au Cambodge, le long de la Voie royale qui va des Dangrek à Angkor, il y avait de grands temples, ceux qui ont été repérés et décrits dans l'Inventaire, mais il y en avait sûrement d'autres, des petits encore inconnus aujourd'hui.

– Oui (mais où veut-il donc en venir ?).

– Eh bien, nous allons dans quelque petit temple du Cambodge, nous enlevons quelques statues, nous les vendons en Amérique, ce qui nous permettra de vivre ensuite tranquilles pendant deux ou trois ans.

Avec les quelques ressources qui subsistent, on achète quelques tenues d'explorateur, des vaccins – au petit bonheur –, et, à la Manufacture des armes et cycles de Saint-Étienne, une bonne douzaine de scies égoïnes destinées à découper la pierre. Comme il faut dès à présent songer à écouler les statues, Malraux prend contact avec un acheteur américain.

Enfin, munis de quelques vagues lettres de recommandation d'orientalistes, d'un ordre de mission obtenu auprès du ministre des Colonies Albert Sarraut, donnant le droit de réquisitionner des chars à buffles, Clara et André s'embarquent fin octobre 1923 à Marseille, sur un bateau miraculeusement baptisé *l'Angkor*. Avec des allers sans retour.

Janvier 1924. La presse coloniale se couvre de titres vengeurs, pour se faire l'écho d'un événement qui, depuis quelque temps déjà, anime la petite communauté européenne

« Pillage des ruines d'Angkor », « Vandales et pilleurs de ruines », puis un peu plus tard : « Protégeons les trésors artistiques et archéologiques de l'Indochine », « L'affaire des statues d'Angkor », « Le vol des bas-reliefs d'Angkor »… enfin « L'affaire Malraux ».

Malraux est en prison pour trois ans. Que s'est-il donc passé ?

Angkor est l'ancienne capitale des rois khmers, entre le IXe et le XVe siècle. Déplacée, reconstruite plusieurs fois, la ville eut toujours pour centre un temple-montagne. La ville actuelle, Angkor-Thom, « la grande ville », englobe plusieurs de ces temples construits en grès et latérite. Le temple funéraire d'Angkor-Vat, « la ville-temple », est redécouvert au XIXe siècle. L'École française d'Extrême-Orient y travaillait depuis 1898.

Le voyage a été long – traverser la mer Thyrénienne, laisser au large la Sicile et la Crète, puis la grande Méditerranée, le canal de Suez, la mer Rouge, escale à Djibouti – et premier vrai contact avec le visage le plus corrompu du colonialisme –, océan Indien, cap sur Colombo, dans l'île de Ceylan, escale à Singapour, enfin l'arrivée sur les côtes de l'Indochine française : vingt millions d'hommes, une superficie bien supérieure à la France, entre les mains d'une minorité d'étrangers aux pouvoirs quasiment illimités.

D'emblée, l'accueil des autorités n'a pas été des plus cordiaux, ni à Hanoi ni dans la petite ville de Siem-Rap, à quelques kilomètres des ruines d'Angkor : on ne fait guère confiance à ce jeune blanc-bec, auteur de quelques vagues articles même pas publiés par l'Ecole française d'Extrême-Orient, avec des ordres de mission qui cautionnent à peine son expédition, et qui vous déclare tout crûment :

❝ Pourquoi l'Inde appelle-t-elle dans ma mémoire la belle lépreuse qui m'a tendu des fleurs auprès de la déesse aux yeux-de-poisson, les petits chats noirs qu'un enfant tibétain voulait me donner au Népal, les clous de cuivre polis par les pieds nus dans la poussière des seuils sacrés, comme des lampes dans le brouillard ? Bouddhas khmers. Je n'avais pas quinze ans quand je lisais Loti : « J'ai vu l'étoile du soir se lever sur Angkor... » On se bat ces jours-ci au Cambodge, et la rosée de l'aube continue à perler sur les toiles géantes des araignées, au-dessus des maquisards morts. Moi, j'ai vu l'étoile du soir se lever sur Lascaux où nos armes étaient cachées, et je ne savais pas que c'était Lascaux... Il existe au fond de la brousse une autre Angkor encore emmêlée aux lianes : Banteaï-Chmar, la « Forteresse du chat ». Voici un petit relief près duquel, vers 1924, méditait un dieu de pierre, les grenouilles des ruines endormies sur son épaule ; les grenouilles des ruines sont presque transparentes. Reverrai-je la forêt d'Asie ? **❞**

André Malraux,
le Miroir des limbes

« ...Je dis à tous les
Français : cette rumeur
qui monte de tous les
points de la terre
d'Annam, cette
angoisse qui depuis
quelques années réunit
les rancunes et les
haines dispersées, peut
devenir, si vous n'y
prenez garde, le chant
d'une terrible
moisson. »
André Malraux,
l'Indochine enchaînée

« Oui, j'ai l'intention de retrouver le tracé de la
grande voie royale qui reliait Angkor aux provinces
du nord de l'Empire.

— Mais savez-vous, mon cher, que, dans cette
zone, nous avons déjà eu deux chargés de mission tués ?

— Certes, mais je voudrais vérifier les rapports
entre l'art khmer et l'art siamois.

— Bien entendu, tout ce que vous pourrez
découvrir devra rester *in situ*.

— Pardon ?

— *In situ :* en place. Après votre rapport, s'il y a
lieu, le chef de notre service archéologique se
déplacera. » Le jeune blanc-bec n'a rien dit, mais il
s'est mis en quête de trouver des charrettes et des
buffles susceptibles de tirer de lourdes charges.

Où les rêves s'achèvent en prison

Enfin, un matin de décembre, après les derniers achats
à Phnom Penh : moustiquaires, cuvettes pliantes,
réchauds, marmites, qui ne leur laissent plus un sou en

poche, les trois aventuriers (l'ami Chevasson – que Clara appelle l'Incolore – les a rejoints à Saigon) et leur petite caravane se sont enfoncés dans la forêt cambodgienne.

Cette chasse au trésor, Malraux l'a racontée dans *la Voie royale*. Clara, dans ses souvenirs, a dit la moiteur, la touffeur de la brousse, l'emmêlement verdâtre de ses branchages, de ses racines et de ses troncs spongieux, la lamentation lugubre des singes, la terre épaisse et rougeâtre où les buffles enfoncent, le rideau de moustiques vibrants qui enveloppe les voyageurs, les termitières hautes et blanchâtres aux détours de ce chemin qui n'existe plus, et puis soudain...

« Le vieillard s'était arrêté, le coupe-coupe haut : une porte s'ouvrait dans la broussaille, sur une petite cour carrée aux dalles arrachées. Au fond, écroulé en partie mais dressant néanmoins sur deux côtés des murailles encore affirmées, un temple rose, orné, paré, Trianon de la forêt sur lequel les taches de mousse semblaient une décoration... plus beau que tous les temples que nous avions vus jusque-là, plus émouvant en tout cas que tous les Angkor polis et ratissés.

« Nous avons avancé, silencieux comme des enfants auxquels on vient d'offrir un cadeau qui comble leur espoir. Les *devatas* nous regardaient, tête un peu inclinée. » Effrayés, les guides n'ont pas voulu pénétrer à l'intérieur des ruines sacrées.

In situ, avaient dit ces messieurs de l'Ecole. Les oiseaux se sont tus. Pendant que Clara fait le guet, un concert de scies, de coups de marteau et de burin déchire le silence de la forêt. Il faut deux jours à Malraux et Chevasson pour arracher au temple deux magnifiques Apsaras et plusieurs autres divinités sculptées d'une valeur inestimable.

Le pas des petits chevaux berce la fatigue des voyageurs. « Tout va redevenir possible », se répète Clara, exténuée, pendant le trajet de retour. Quelques jours plus tard, on est à Phnom Penh. L'expédition est terminée. Les vrais ennuis vont commencer.

Trois hommes en civil cognent à la porte de la petite cabine du bateau : « Suivez-nous.

– Où ?

– Dans la cale. Contrôle des bagages. »

Ils sont partis, séduits par ces bouddhas suaves, aux visages de pierre doux comme des chairs d'enfant, d'un exotisme confortable, vus au musée Guimet. Séduits aussi par ces demi-confidences d'aventuriers cyniques (« Cassirer, à Berlin, m'a payé cinq mille marks-or les deux bouddhas que m'avait donnés Damrong ...un seul bas-relief, s'il est beau, vaut au moins deux cent mille francs... »). Henri Parmentier, l'auteur de l'étude consacrée à Banteai Srei, avait raison. Le temple est merveilleux. Chevasson et Malraux, « archéologues » pour l'occasion, en contemplent la beauté avant de scier et de dégager 800 kilos de pierres sculptées sous les yeux de leurs coolies.

41

Banteai Srei, la « citadelle des femmes »

Situé en pleine forêt, dans une région très pauvre en vestiges archéologiques, le temple de Banteai Srei a échappé aux découvreurs, jusqu'à ce que, en 1914, un officier du Service géographique, le lieutenant Marec, ne le signale. C'est le passage de Malraux qui éveille l'intérêt des services archéologiques : dès 1924, H. Parmentier et V. Goloubew dégagent le temple, et les reliefs récupérés lors de l'arrestation de Malraux sont quelque temps exposés au musée de Pnom Penh, puis remis en place par l'un des spécialistes de l'Ecole française d'Extrême-Orient, Marchal. Le temple construit pour le culte brahmanique de Civa au Xe siècle est ainsi reconstitué pierre à pierre.

Le joyau de l'art khmer

La perfection de Banteai Srei relève plus de l'orfèvrerie que du simple travail de la pierre. C'est un petit temple – presque une maquette de temple –, une sorte de « caprice », où le détail l'emporte sur la masse. Dans le grès rose et dur, ce ne sont que broderies décorant les murs, statues et reliefs consacrés à Civa, Indra, Vishnou, Kama, et aux nombreux dieux adorés en ce Xe siècle qui voisinent là avec des personnages accroupis, à corps d'homme et têtes de monstres, les gardiens du sanctuaire.

Les caisses en bois de camphrier, ouvertes, exhalent leur parfum : dans la demi-pénombre de la cale, les bas-reliefs, soigneusement emballés, accrochent la lumière des lampes-torches. C'est la fin du rêve.

« Vous êtes sous mandat d'arrêt. Veuillez ne pas quitter votre cabine. »

« Que vais-je dire à Maman ? », se demande Clara. Malraux lit Nietzsche : *les Deux Aspects de la morale* viennent de paraître.

Parti répondre à la tentation de l'Orient, Malraux découvre ce que l'Occident en a fait

Cette expédition n'avait-elle qu'un but lucratif ? La presse coloniale le soutient. De fait, perclus de miasmes européens (« un métaphysicien manqué, qui a du coffre, du nerf, du style, mais que la pestilence et le vice des métropoles dégraderont bientôt », dit de lui Paul Claudel), Malraux a voulu également confronter son errance aux valeurs d'une autre civilisation :

Pour André Malraux

Les soussignés, émus de la condamnation qui frappe André Malraux, ont confiance dans les égards que la justice a coutume de témoigner à tous ceux qui contribuent à augmenter le patrimoine intellectuel de notre pays. Ils tiennent à se porter garants de l'intelligence et de la réelle valeur littéraire de cette personnalité, dont la jeunesse et l'œuvre déjà réalisée permettent de très grands espoirs. Ils déploreraient vivement la perte résultant de l'application d'une sanction qui empêcherait André Malraux d'accomplir ce que tous étaient en droit d'attendre de lui.

Edmond Jaloux, André Gide, François Mauriac, Pierre Mac-Orlan, Jean Paulhan, André Maurois, Jacques Rivière, Max Jacob, François Le Grix, Maurice Martin du Gard, Charles du Bos, Gaston Gallimard, R. Gallimard, Philippe Soupault, Florent Fels, Louis Aragon, Pierre de Lanux, Guy de Pourtalès, Pascal Pia, André Houlaire, André Desson, André Breton, Marcel Arland.

« Les Européens sont las d'eux-mêmes, las de leur individualisme qui s'écroule, las de leur exaltation. Ce qui les soutient est moins une pensée qu'une fine structure de négations. Capables d'agir jusqu'au sacrifice, mais pleins de dégoût devant la volonté d'action qui tord aujourd'hui leur race, ils voudraient chercher sous les actes des hommes une raison d'être plus profonde », écrira-t-il après cette expérience dans *la Tentation de l'Occident* (1926).

Mais pour l'administration coloniale, foin de ces considérations métaphysiques ! Malraux est un pilleur de temples, et doit être traité comme tel. Or, pendant les quelques mois de résidence surveillée qui le séparent du procès, il découvre ce qu'il n'était pas venu chercher : la morgue des vainqueurs régnant sur une Asie humiliée, brisée et menée à la « cadouille » (« Il n'y a que ça qui les fasse travailler »), les trafics d'hommes et de femmes, la bassesse d'une certaine presse à la botte des colonisateurs. Cette prise de conscience marque le début de son engagement politique.

Fin novembre 1924 : d'abord condamné à trois ans de prison ferme, Malraux a été libéré grâce à Clara, qui a pu revenir en France, aux efforts de ses amis parisiens et à ceux de Monin, un jeune et brillant avocat de Saigon. Sur le quai de l'Estaque, à Marseille, retrouvailles, embrassades. La vie reprend. Et puis brusquement, Malraux, la voix tendue :

« Nous repartons vous et moi dans un mois ou six semaines pour Saigon. Enfin dès que nous aurons l'argent nécessaire. Les Annamites ont besoin d'un journal libre : c'est Monin et moi qui le dirigerons. »

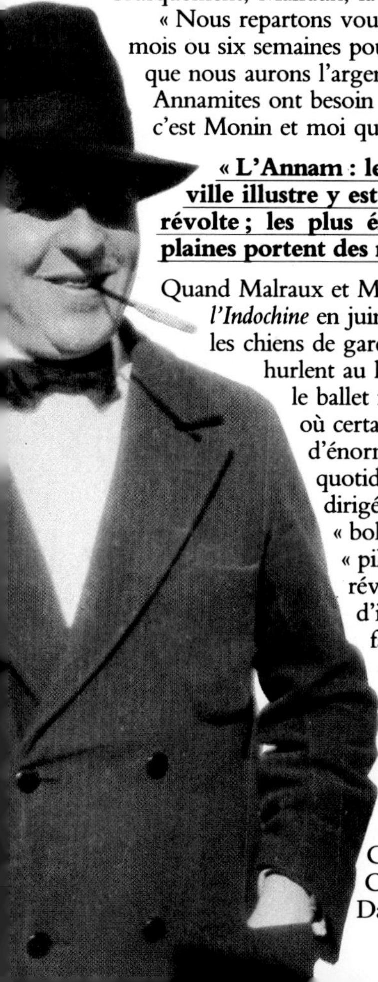

« L'Annam : le nom de toute ville illustre y est le nom d'une révolte ; les plus émouvantes de ses plaines portent des noms de combat. »

Quand Malraux et Monin lancent l'*Indochine* en juin 1925, à Saigon, les chiens de garde du colonialisme hurlent au loup. C'est que dans le ballet feutré des piastres où certains accumulent d'énormes fortunes, un quotidien pro-annamite dirigé par un avocat « bolcheviste » et un « pilleur de temples » révolutionnaire risque d'introduire quelques fausses notes. Cela ne manque pas : dès les premiers numéros, des éditoriaux brillants brocardent allègrement le gouverneur de la Cochinchine Cognacq, son adjoint Darles, « le bourreau

André Malraux et Louis Chevasson passent en jugement à Saigon les 16 et 17 juillet 1924. Cependant, à Paris, les amis, les intellectuels de la *Nouvelle Revue française* se mobilisent : aussi bien des écrivains – Gide, Arland, Martin du Gard, Aragon, Breton...– qu'un homme comme Gaston Gallimard (ci-contre), qui va devenir l'éditeur de Malraux. Dans *l'Impartial* de Saigon, en septembre 1924, Malraux remercie ceux qui l'ont soutenu : « Je ne puis qu'être infiniment reconnaissant à mes amis d'avoir agi avant de me consulter et de m'avoir défendu contre de véritables attaques de domestiques. »

de Thaï Nguyen », les présidents des chambres de
commerce et d'agriculture, et tous les personnages
importants de cette administration frelatée. Bientôt
l'Indochine se fait largement l'écho du confus
mouvement de libération qui se dessine dans un grand
pays voisin, la Chine : ce sera plus tard la matière des
Conquérants. Malraux et Monin apparaissent comme
des agents du Guomindang « communiste ».

Les directeurs
de l'*Indochine*
pêchant
en eau trouble

**La pourriture, le grouillement des serpents et des
scorpions rencontrés dans la jungle**

**cambodgienne n'étaient
qu'un avant-goût : ceux
qui se réveillent pour faire
taire « l'Indochine » sont
bien plus venimeux**

Dans cette super-province
coloniale qu'est alors la
Cochinchine, c'est une
véritable levée de boucliers :
dérobade des imprimeurs,
intimidation des lecteurs par
l'administration, menaces aux
abonnés, pertes des exemplaires. Les autres journaux,
l'Impartial en tête, qui bénéficie comme toutes les
publications autorisées d'abonnements forcés, crachent
et griffent. Un directeur de journal, ce jeune homme
louvoyant « entre la littérature, les affaires, la
cambriole et la prostitution » ? Malraux répond :
« M. Delong m'oppose ma jeunesse. Quarante ans de
bêtise n'ont jamais fait l'intelligence. » Et puis
d'abord, d'où viennent leurs fonds ? André, Clara,
Monin, leurs collaborateurs du mouvement
nationaliste *Jeune Annam,* sont constamment suivis.
L'Indochine réagit par une note en première page :
« La Sûreté a bien voulu mettre deux de ses agents,
l'un devant la porte de notre bureau,
l'autre devant la porte de
l'imprimerie. Ils sont très laids.
Ne pourrait-on les changer ? »
   Mais la dissuasion paie.
Après le quarante-neuvième
numéro, leur imprimeur est
racheté par *l'Impartial. L'Indochine,*

L'INDOCHINE

JOURNAL QUOTIDIEN DE RAPPROCHEMENT FRANCO-ANNAMITE 12, RUE TABERD TÉLÉPHONE 117

André MALRAUX — Paul MONIN

SUR QUELLES RÉALITÉS APPUYER UN EFFORT ANNAMITE ?

TÉLÉGRAMMES
DE NOTRE SERVICE PARTICULIER

CHINE

LE BOYCOTTAGE — A SWATOW : TRENTE MORTS, SOIXANTE BLESSÉS

TROUBLES EN CORÉE

BELGIQUE

LA GRÈVE CONTINUE 20.000 OUVRIERS ONT MAINTENANT CESSÉ LE TRAVAIL

ANGLETERRE

L'ANGLETERRE NE VEUT PAS MODIFIER SA POLITIQUE DU CAOUTCHOUC

INDES NÉERLANDAISES

DANGER DE L'USAGE DES BARONNETS POUR CHASSER LES MOUSTIQUES

ITALIE

LES FIANÇAILLES D'UNE DES FILLES DU ROI D'ITALIE

STRAITS SETTLEMENTS

UN VOL DE 70.000 DOLLARS

LA POLICE SE SERT DU CINÉMA

SAIGON

bâillonnée, disparaît.

« Eh bien, nous le fabriquerons nous-mêmes ! » dit Malraux.

De bric et de broc, grâce au soutien des Annamites qui travaillent dans les grandes imprimeries de la ville, on arrive à remonter une presse de fortune. Mais où se procurer des caractères ? A Saigon, impossible, la Sûreté contrôle tout. A Hong Kong, paralysée par la grève et en lutte contre la domination anglaise, Malraux en trouve enfin... auprès des jésuites. Il en profite pour rencontrer des agents du Guomindang, remonte sans doute jusqu'à Canton : peut-être s'y entretient-il

avec le soviétique Borodine, l'un
des futurs héros des *Conquérants*.

À l'arrivée à Saigon, ses
caractères sont saisis. Un deuxième
envoi échappe à la douane. Las ! ce
sont bien sûr des caractères anglais,
non accentués. Dans la petite
communauté progressiste, le bouche
à oreille répand la nouvelle.

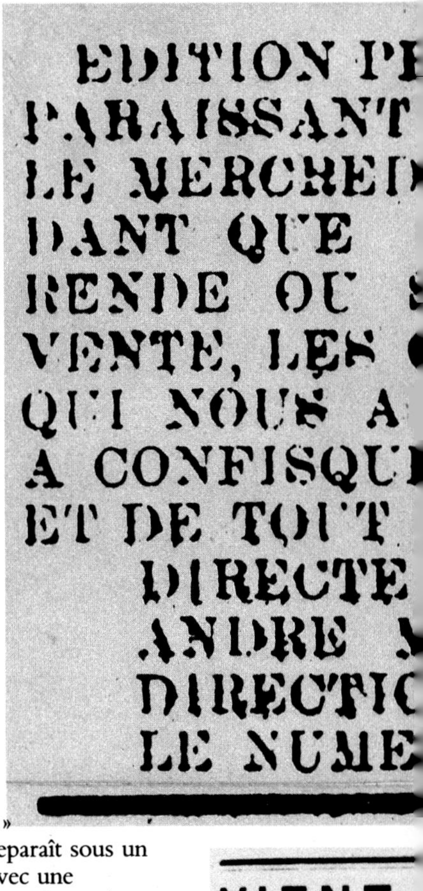

Un après-midi, l'employé annamite d'une imprimerie gouvernementale entre furtivement dans les bureaux de « l'Indochine »

Il sort de sa poche un mouchoir
noué en bourse, en étale le
contenu sur le bureau :

« C'est rien que des *é*. Il y a
des accents aigus, des graves et des
circonflexes. Pour les *ï*, ce sera
plus difficile ; mais peut-être
qu'on pourra s'en passer. Demain
beaucoup d'ouvriers feront comme
moi ; et nous allons apporter tous
les accents que nous pourrons. »

Déjà, il est sur le pas de la
porte. Avant de disparaître, il lance :
« Si je suis condamné, dites à ceux
d'Europe que nous avons fait ça
pour qu'on sache ce qui se passe ici. »

En novembre 1925, le journal reparaît sous un
nouveau titre, *l'Indochine enchaînée,* avec une
typographie toute de guingois. C'est un baroud
d'honneur. Malraux, exténué, ruiné, a pris conscience
de son impuissance à renverser un bastion si bien
défendu. En décembre 1925, il rentre en France.
Pendant la traversée, il rédige les premières lettres de
la Tentation de l'Occident.

Mais toute la matière qui nourrira les évocations
puissantes de *la Voie royale,* des *Conquérants* et de *la
Condition humaine,* le jeune homme d'à peine
vingt-quatre ans qui débarque encore une fois à
Marseille, un mois plus tard, la porte déjà en lui.

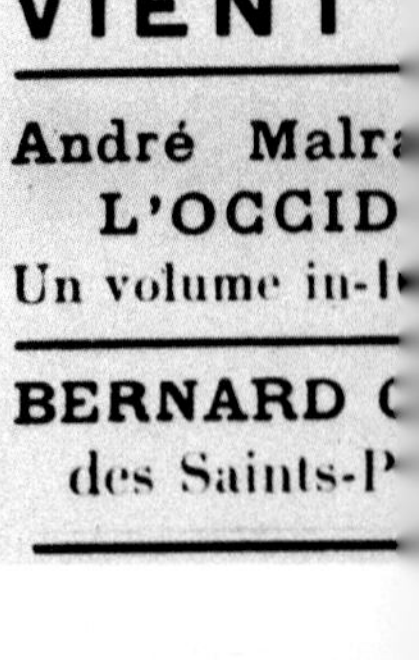

ISOIRE DE L'INDOCHINE
UX FOIS PAR SEMAINE,
T LE SAMEDI, EN ATTEN.
OMINISTRATION   NOUS
DECIDE   A   METTRE   EN
ACTERES D'IMPRIMERIE
RTIENNENT ET QU'ELLE
AU MEPRIS DE TOUTE LOI
GE.

RAUX ET PAUL MONIN
12. RUE TABERD
10 CENTS.

PARAITRE

TENTATION DE

couronne. . Prix : 10 fr.

T, ÉDITEUR, 61, Rue
is- vı⁰.

❝ Toutes les injustices, toutes les exactions, toutes les fariboles, qui ont transformé les provinces en royaumes... ont la même origine : certains groupes financiers et commerçants d'Indochine sont devenus plus puissants que le Gouvernement local... ❞

André Malraux,
l'Indochine enchaînée

" Malraux. Né à Paris. Chargé de mission archéologique au Cambodge et au Siam par le ministère des Colonies (1923). Membre de la direction du parti Jeune Annam (1924). Commissaire du Guomindang pour la Cochinchine (1924-1925). Délégué à la propagande auprès du mouvement nationaliste à Canton sous Borodine (1925)." La notice biographique des « Conquérants » se joue de la réalité. L'écrivain de génie a-t-il tous les droits, y compris celui d'inventer sa vie ?

CHAPITRE III
ENTRE LE RÊVE ET L'ACTION

Malraux a 25 ans quand, dans *la Tentation de l'Occident*, il prend la mesure de l'écroulement de l'Europe. De l'Asie à la guerre d'Espagne, le jeune et brillant intellectuel va découvrir la solidarité humaine.

La force envoûtante des romans que Malraux va
publier dans les années à venir - *les Conquérants* (1928),
la Voie royale (1930), *la Condition humaine* (1933),
l'Espoir (1937)* – vient de leur extraordinaire allure de
vérité autobiographique : ce narrateur qui dit « je » et
suit comme une ombre agissante les plus grands
acteurs de l'histoire, ou ces personnages dont tout
porte à croire qu'ils ne sont que la transposition exacte
de l'écrivain, cette écriture de reportage haletant : « 5
juillet », « 5 heures », « Une demi-heure plus tard »,
comment ne pas s'y laisser prendre ? Pourtant, les
révolutionnaires de Canton en 1925, ceux de Shanghai
en 1927, n'ont jamais vu Malraux à leurs côtés. Par
quel extraordinaire don de visionnaire l'écrivain,
vivant alors à des milliers de kilomètres des grands
mouvements historiques qu'il décrivait, a-t-il su les
rendre présents, au point que les meilleurs lecteurs, et
certains acteurs eux-mêmes, s'y sont trompés ?

Quand Malraux retrouve la France en 1926, le débat littéraire, mais aussi politique, est mené par André Breton, Aragon et les surréalistes

Depuis 1924, la France du cartel des
gauches a vogué d'échec en échec :
gouvernements éclairs, déficit
budgétaire, inflation, révolte en Syrie,
soulèvement d'Abd el-Krim dans le
Rif, panique financière : la gauche met
elle-même en place l'homme-symbole
qu'elle hait mais que l'inquiétude de la
France profonde appelle de ses vœux :
Raymond Poincaré.

A l'occasion de la guerre du Rif, les
surréalistes se sont rapprochés des communistes
et du combat anticolonialiste : celui qui a
découvert l'exploitation coloniale en Indochine
et ceux qui la dénoncent en France à coups de
tracts imprimés sur papier rouge sang auraient
logiquement dû unir leurs forces.
Incompatibilité d'humeur ? Orgueil mal placé ?
Résistance de Malraux aux questions un peu
hagardes que les surréalistes, qui viennent de
découvrir Freud, posent alors à l'inconscient ?

L'Echiquier surréaliste de Man Ray : Breton, Ernst, Dali, Arp, Tanguy, Chirico, Magritte, Miró.

La rencontre n'aura pas lieu. Pour le moment, Malraux est attelé à sa première grande œuvre, *la Tentation de l'Occident*, que Bernard Grasset publie en juillet 1926. Ces pages sont favorablement accueillies par la critique, et ouvrent à Malraux une carrière d'essayiste brillant. Littérature qui dit l'attente confuse d'une aube nouvelle mais imprécise, exaltation de l'harmonie asiatique, diagnostic sans appel de la mort des valeurs occidentales : voilà des thèmes qui, en ces années de marasme, trouvent un écho certain. Il les précise peu après dans *D'une jeunesse européenne* : « Nous voilà contraints à fonder notre notion de l'Homme sur la conscience que chacun prend de soi-même. (...) Notre époque, où rôdent encore tant d'échos, ne veut pas avouer sa pensée nihiliste, destructrice, foncièrement négative. (...) A quel destin est donc vouée cette jeunesse violente, merveilleusement armée contre elle-même ? »

En 1925, les aspirations révolutionnaires des surréalistes auraient pu rejoindre celles de Malraux : « Nous sommes certainement des barbares, puisqu'une certaine forme de civilisation nous écœure. Partout où règne la civilisation occidentale toutes attaches humaines ont cessé à l'exception de celles qui avaient pour raison d'être l'intérêt.(...) En définitive, nous avons besoin de la Liberté, mais d'une Liberté calquée sur nos nécessités spirituelles les plus profondes, sur les exigences les plus strictes et les plus humaines de nos chairs (en vérité ce sont toujours les autres qui auront peur). L'époque moderne a fait son temps. » (tract intitulé « la Révolution d'abord et toujours ! », août 1925.)

Lucidité, fulgurance de l'idée, profondeur : le mythe de l'intellectuel révolutionnaire Malraux commence à se répandre

« Il y a des écrivains dont les gens avertis commencent à parler : Julien Green, Georges Bernanos, André Malraux. J'ai rencontré Malraux. Il produit la plus vive impression. Il a dans le regard un air d'aventure, de mélancolie et de décision irrésistible (...) Il parle très vite, très bien, a l'air de tout savoir, ébloui à coup sûr et vous laisse sous l'impression d'avoir rencontré l'homme le plus intelligent du siècle », écrit Maurice Sachs dans *Au temps du bœuf sur le toit.*

Malraux parisien auréolé de l'aventure indochinoise, Malraux causeur métaphysique de la république des lettres, Malraux accueilli en ami chez Gallimard se frotte de nouveau à un vieux rêve : l'édition. Mais les maisons qu'il suscite ont à peu près le même succès que les imprimeries de Balzac. Heureusement, Gaston Gallimard l'appellera bientôt pour diriger ses éditions artistiques dans ses bureaux du 3 rue de Grenelle.

Aussitôt après *la Tentation de l'Occident,* Malraux s'attelle aux *Conquérants,* qui paraissent d'abord en livraison dans *la Nouvelle Revue française,* puis, presque immédiatement, en volume.

« C'est le livre de l'année et le succès de la saison », notent les critiques. L'intelligence du penseur avait séduit : le brosseur de fresques éblouit. Et inquiète aussi : à la question angoissée que posait le philosophe dans *la Tentation de l'Occident,* l'homme d'action ne semble-t-il pas proposer comme seule réponse le révolutionnaire Garine ? Celui « qui n'a pas à définir la Révolution, mais à la faire » ? Est-ce bien le même jeune et brillant intellectuel aux accents un peu barrésiens qui prend la parole dans une réunion de gauche pour lancer : « Quant à dire si le livre a une valeur, c'est une question dont je ne suis pas juge. Il s'agit de savoir si l'exemple donné par Garine agit avec efficacité en tant que création éthique. Ou il agit sur les hommes qui le lisent, ou il n'agit pas. S'il n'agit pas, il n'y a pas de question des *Conquérants* ; mais s'il agit, je ne discute pas avec mes adversaires : je discuterai avec leurs enfants. » ? Et le lucide Emmanuel Berl, auteur d'un livre assez brillant intitulé *Mort de la morale bourgeoise,* conclut : « Les bourgeois que séduit l'art de Malraux comprendront demain (...) le danger que Malraux leur fait courir et ils cesseront de chercher dans son livre des renseignements sur la Chine, des tableaux, une chronique ou une psychologie. »

Maurice Sachs, petit-fils de diamantaire ruiné, juif puis catholique (il se convertira même à l'Eglise presbytérienne pour un mariage blanc aux Etats-Unis), tenté un jour par la prêtrise, secrétaire de Cocteau, oiseau des nuits blanches du Bœuf sur le toit où se retrouvent cubistes, dadaïstes, surréalistes, mais aussi Grasset et la *NRF,* incarne au plus haut point l'indifférence née de l'effondrement des valeurs de l'époque.

A la fin de l'année 1928, c'est donc avec des réserves du côté de certains que Malraux se retrouve définitivement sacré grand écrivain. La quête de l'action, le goût du choc des civilisations ne l'ont pourtant pas quitté

En quelques années, tout en publiant *Royaume farfelu* (1928), *la Voie royale* (1930) qui lui vaut le prix Interallié, *la Condition humaine* (1933) qui lui vaut le prix Goncourt, tout en introduisant en France D. H. Lawrence, Faulkner et Dashiell Hammett, en organisant des expositions et en éditant des livres d'art, il entraîne Clara dans des périples vers l'Union soviétique, la Perse (aujourd'hui l'Iran), la Chine, les Indes, l'Afghanistan, le Japon et les Etats-Unis. Comme le roman de la révolution succède au roman de l'aventure individuelle qui succède au roman de la révolte, les voyages succèdent aux voyages.

Mais, malgré la fille que Clara a donnée à André en 1933, l'amour nomade des vingt ans s'est changé en une tendresse un peu amère : au moment où Malraux vogue vers la gloire, leur union se défait. La mort frappe : trois ans auparavant, son père s'est suicidé ; l'année de la naissance de sa fille, sa mère meurt. Et la vie continue : Malraux, sans savoir qu'un jour dans son existence aussi bien l'une que l'autre joueront un rôle important, rencontre successivement Josette Clotis et Louise de Vilmorin. Dans ce tourbillon personnel et collectif qu'assombrissent déjà, pour les plus lucides, les rumeurs de bottes venues d'Allemagne – 30 janvier 1933, le parti national-socialiste d'Hitler prend le pouvoir –, s'élabore l'œuvre de la consécration.

Un titre inspiré de Montaigne et de Pascal ; un épisode complexe de la révolution chinoise : le soulèvement de Shanghaï fomenté par les communistes et réprimé par Jiang Jieshi (Tchang Kai-chek) ; quelques notes ramenées du voyage en Chine de l'année précédente ; des coupures de journaux ; des personnages inspirés par de vagues

❝ Je crois vous avoir aimé, autant qu'il est donné à une femme d'aimer aujourd'hui. (...) J'aurais aimé briller devant vous et que l'admiration des autres vous confirmât dans le choix que vous aviez fait de moi : mon assurance envers vous s'en serait trouvée accrue et aussi la confiance en moi. Mais briller devant vous est une joie qui ne me fut que rarement donnée. Tandis que vous vous affirmiez de plus en plus, je m'effaçais de plus en plus. Nous étions semblables aux petits bonshommes des baromètres suisses : un seul de nous deux pouvait être visible. Vous et moi trouvions naturel que ce fût vous. ❞

Clara Malraux,
Nos vingt ans

rencontres ou par des souvenirs de l'Indochine ; un réalisme héroïque qui touche autant à l'histoire qu'à la légende, et où chacun retrouve, écrira bien plus tard Régis Debray, « les voix alternées de l'irrémédiable et de la volonté ». Plus quelques dîners heureux organisés par Gaston Gallimard : tout cela, le 1er décembre 1933, fait un prix Goncourt à l'unanimité. L'auteur de la Condition humaine a trente-deux ans.

Après l'annonce du résultat, au restaurant Drouant, selon le rite, Malraux n'a qu'une hâte : fuir, échapper aux académiciens, aux journalistes, rejoindre Louise avec laquelle il a rendez-vous

Ils se retrouvent chez Marius, un restaurant de la rue de Bourgogne, à cent mètres de l'Assemblée nationale, essentiellement fréquenté par les députés. Femme oiseau, créature de rêve. Un visage blond, aux traits réguliers et sereins, aux yeux d'azur délavés, teintés de gris. Malraux est sous le charme : « Elle parle tout naturellement, sans préparatif, ni précaution, avec une sorte de délire châtié, radieux et coloré, qui fait penser aux grandes dames de compagnie des reines. (...) Aucun doute, cette jeune femme du monde est née pour raconter des histoires d'amour, des aventures de bijoux volés, des rapts de trésors dans les diligences. » Voici notre grand écrivain révolutionnaire en plein rêve aristocratique.

Au dessert :
« C'est avec vous que je finirai ma vie, lui dit-il.
- Est-ce une probabilité, une certitude ?
- Davantage, répond Malraux, une conviction profonde. »

Séparés pendant plus de trente ans, ils resteront toujours en contact. Un jour, à Verrières, ils se retrouveront pour que le destin prédit par le visionnaire Malraux s'accomplisse. « Cet homme que j'ai connu en 1933, qui n'aime pas se souvenir et qui tous les matins arrache de son agenda la page de la veille, a décidé de finir sa vie avec moi », dira alors Louise de Vilmorin.

Prix Goncourt, nouvel amour, et bientôt de nouveaux combats : cela vaut bien l'une de ces escapades lunatiques qui laisseront toujours les biographes pantois. En 1929, on avait eu grand-peine

C'est le 24 juin 1933, à un cocktail organisé par la *NRF*, que Malraux rencontre Louise de Vilmorin, celle qu'il surnommera la Dame intimidante. « Je suis née parmi les roses baccarat, à côté d'une énorme fleur de pavot qui m'effrayait. » Cet amour sans lendemain revivra trente ans plus tard à Verrières.

Avec la *Condition humaine*, Malraux marque toute la jeunesse de son siècle. Ci-contre, une page du manuscrit.

Croisière en Corse
Pentecôte 1934
L. INTRAN-TOURISME

TROISIEME EDITION
Le Journal de Paris

L'INTRANSIGEAN

AU-DESSUS DU DÉSERT D'ARABIE

A la découverte
de la capitale mystérieuse
de la reine de Saba

par André MALRAUX

I. — Porte de l'Inconnu

Devant le Farman 190, Édouard Corniglion-Molinier, le mécanicien Maillard et André Malraux se préparent à partir. « Il y a au moins cinquante chances sur cent de laisser sa peau dans cette aventure », écrit *l'Intransigeant*.

à empêcher Malraux de monter une expédition pour aller délivrer Trotsky, le créateur de l'Armée rouge, alors déporté à Alma-Ata. Début 1934, il décide d'aller retrouver les ruines de la capitale de la reine de Saba.

Si une terre fournit un cadre naturel à l'imagination, c'est bien l'Abyssinie. L'ombre d'Arthur Rimbaud, l'homme aux semelles de vent, flotte encore sur le Harrar

« Depuis des années, Salomon avait fui Jérusalem. Asservis au sceau dont le dernier caractère ne peut être lu que par les morts, ses démons l'avaient suivi à travers le désert. Et dans une vallée de Saba, le Roi qui avait écrit le plus grand poème du désespoir regardait, mains croisées sous le menton et appuyées sur le haut bâton de voyage, les démons qui depuis tant d'années élevaient le palais de la reine. »

C'est ainsi que les conteurs d'Ispahan racontent la trop belle histoire d'amour de Salomon et de Balkis, la reine des sables dont le rire a traversé les siècles. « Ces terres légendaires appellent les farfelus », commente Malraux dans ses *Antimémoires*. Farfelu, il fallait l'être en effet pour espérer retrouver du haut du ciel les ruines d'une ville mythique qu'aucun archéologue, sur tout le territoire du Yémen actuel, n'avait réussi à localiser avec précision. Mermoz et Saint-Exupéry, les deux héros de l'Aéropostale, hésitent ? Corniglion-Molinier accepte avec enthousiasme.

Pourtant, l'entreprise est loin d'être sans danger : un vol de 2 000 km sans escale, à plus de 3 000 m d'altitude, au-dessus d'une région sauvage dont les habitants, implacables envers les « infidèles », font qu'un atterrissage forcé conduit à une mort certaine. Un après-midi de mars 1934, c'est l'envol de Djibouti, à bord d'un Farman 190 équipé de lourds réservoirs fixés tant bien que mal sous les ailes. Las ! Après cinq

Un soir, chez des amis, Malraux rencontre un jeune aviateur déjà célèbre, le capitaine Edouard Corniglion-Molinier, à gauche sur la photo. Celui-ci raconte : « Malraux me dit qu'il comptait aller explorer le Yémen et tâcher de retrouver la ville de la reine de Saba, déguisé en Persan. Je dis à Malraux : pourquoi augmenter la liste des savants ou des aventuriers romantiques tués dans cette expédition sans même atteindre leur but. Alors qu'il existe une chance beaucoup

plus grande de trouver la ville, si elle existe, en la survolant ? Ce soir-là, Malraux ne parla presque plus et fit semblant d'écouter... »

heures de vol en aveugle, il faut songer à faire demi-tour. Soudain, de hautes tours, des terrasses et des temples de brique crue découpent leurs ombres sur le sol calciné. Mirage ou réalité ? Il est impossible d'atterrir. La ville, disparue déjà dans la lumière vibrante, gardera son mystère. Emporté par ses rêves bibliques, Malraux n'en expédie pas moins à *l'Intransigeant,* qui a financé l'expédition contre l'exclusivité d'un récit signé du jeune prix Goncourt, un télégramme triomphaliste. « Avons découvert capitale légendaire reine de Saba stop vingt tours ou temples toujours debout stop. »

En fait, l'aventure, le danger, et la peur de la mort, c'est au retour vers la France que Malraux les connaît : pris dans un cyclone, le petit avion ne doit son salut qu'aux dons de pilote de Corniglion-Molinier.

Et cette sensation vertigineuse, relatée dans les *Antimémoires,* prend pour l'écrivain une résonance mystique : « C'est là que j'ai rencontré pour la première fois l'expérience du " retour sur la terre ", qui a joué dans ma vie un grand rôle, et que j'ai plusieurs fois tenté de transmettre. C'est aussi celle de tout homme qui retrouve sa civilisation après avoir été lié à une autre. Les forces cosmiques ébranlent en nous tout le passé de l'humanité. Ce chien se promenait avec tranquillité sous la mort dont je portais encore le grondement retombant : j'avais peine à dessoûler du néant. Les gens existaient toujours. Ils avaient continué à vivre, tandis que j'étais descendu au royaume aveugle. Il y avait ceux qui étaient contents d'être ensemble, dans la demi-amitié et la demi-chaleur, et sans doute ceux qui, avec patience ou véhémence, tentaient d'extraire de leur interlocuteur un peu plus de considération ; et au ras du sol tous ces pieds exténués, et sous les tables quelques mains aux doigts enlacés. La vie...

Dans *l'Intransigeant* du 1er mai 1934, Malraux, l'archéologue aérien, imagine l'apparence d'une capitale mystérieuse, contenant tous ses rêves.

« Ne reviendrai-je pas par une heure semblable, pour voir la vie humaine sourdre peu à peu, comme la buée et les gouttes recouvrent les verres glacés – lorsque j'aurai été vraiment tué ? »

C'est ainsi, perdu à mi-chemin entre ciel et terre, entre la vie et la mort, entre l'histoire et la légende, que Malraux retrouve la certitude de son destin.

Dans la version de 1874 de la *Tentation de saint Antoine*, Flaubert fait dire à la mystérieuse reine de Saba, qui tente de séduire l'ermite : « Je ne suis pas une femme, je suis un monde. Mes vêtements n'ont qu'à tomber, et tu découvriras sur ma personne une succession de mystères !

Antoine claque des dents. Si tu posais ton doigt sur mon épaule ce serait comme une traînée de feu dans tes veines. La possession de la moindre place de mon corps t'emplira d'une joie plus véhémente que la conquête d'un empire. Avance tes lèvres ! mes baisers ont le goût d'un fruit qui se fondrait dans ton cœur ! Ah ! comme tu vas te perdre dans mes cheveux, humer ma poitrine, t'ébahir de mes membres, et brûler par mes prunelles, entre mes bras, dans un tourbillon... »

Antoine fait un signe de croix.

« Tu me dédaignes ! Adieu ! »

La légende de la reine de Saba inspire les peintres, tel Piero Della Francesca (ici une fresque du cycle de l'*Histoire légendaire de la vraie croix* d'Arezzo) autant que les écrivains.

A trente-trois ans, Malraux reste un révolté plus qu'un révolutionnaire. Mais le 30 janvier 1933, les nazis ont pris le pouvoir à Berlin...

Dès lors, l'histoire va s'accélérer : face à la terreur qui monte en Allemagne, l'intellectuel ne peut plus se contenter d'analyser et d'interroger. En mars 1933, Malraux prend la parole devant l'Association des écrivains et artistes révolutionnaires, créée par Paul Vaillant-Couturier et Maurice Thorez, jeune dirigeant communiste : « Depuis dix ans, le fascisme allemand étend sur l'Europe ses grandes ailes noires. Le fascisme allemand nous montre que nous sommes face à la guerre. Nous devons faire notre possible pour qu'elle n'ait pas lieu : mais nous avons affaire à des sourds, nous savons qu'ils n'entendent pas ! A la menace, répondons par la menace, et sachons nous tourner vers Moscou, vers l'Armée rouge ! »

Au Congrès des écrivains qui se tient à Moscou en juin 1934, il est invité et présenté comme un « écrivain révolutionnaire ». Mais son engagement aux côtés des communistes est plus un engagement contre le fascisme, et ses déclarations réservées sur la conception stalinienne de la littérature jettent un certain froid. Et quand, à la fin d'un banquet chez l'écrivain Léonov, Malraux lève son verre à « un absent dont la présence se fait sentir ici à chaque instant, Léon Trotsky », les rires se figent dans un silence glacial.

Au retour d'URSS, à l'automne 1934, c'est néanmoins l'exaltation d'une fraternité retrouvée qui le lance dans de nouveaux combats. *Le Temps du mépris*, publié en 1935, qui décrit l'univers concentrationnaire des

L'amitié entre Gide et Malraux se noue sur fond de *NRF*. Les deux hommes ont bien des points communs : la pudeur ; la passion de l'écriture et de la pensée ; la rigueur morale ; et, un temps, les options politiques. Malraux fascine Gide : « Chaque fois qu'il ouvre la bouche, disait celui-ci, le génie parle. » En janvier 1934, ils partirent ensemble à Berlin pour demander à Hitler la libération de Georgi Dimitrov, secrétaire de la IIIᵉ Internationale, tombé aux mains de la Gestapo. Hitler ne les reçoit pas...

L'été 1934, un congrès des écrivains se tient à Moscou. Malraux y rencontre, outre Maxime Gorki, Meyerhold et Pasternak (photo du haut), Eisenstein (photo du milieu), qui voudrait porter *la Condition humaine* à l'écran... S'il affiche certaines convergences avec ses interlocuteurs institutionnels, il prend néanmoins ses distances avec l'idéologie officielle : « L'image de l'URSS que nous en donne sa littérature l'exprime-t-elle ? Dans les faits extérieurs, oui. Dans l'éthique et la psychologie, non. (...) A la bourgeoisie qui disait *l'individu*, le communisme répondra *l'homme*... Vous faites surgir ici la civilisation d'où sortent les Shakespeare. Qu'ils n'étouffent pas sous les photographies, si belles soient-elles ! Le monde n'attend pas seulement de vous l'image de ce que vous êtes, mais aussi de ce qui vous dépasse, et que bientôt vous seuls pourrez lui donner ! »

communistes allemands emprisonnés, s'ouvre sur une préface vigoureuse qui appelle une ère nouvelle : « Il est difficile d'être un homme. Mais pas plus de le devenir en approfondissant sa communion qu'en cultivant sa différence. » De meeting en meeting, aux côtés de Gide, Malraux s'affirme comme un des plus brillants compagnons de route du communisme, héros de toutes les causes internationales. Fasciné historiquement par Trotsky, qu'il a rencontré en 1933, il s'insurge contre l'expulsion de celui-ci, réfugié en France, par le gouvernement Doumergue. Mais curieusement, même après le 6 février 1934, il ne croit pas au fascisme français, qui a pourtant bien reconnu en lui un ennemi. Et s'il ne participe pas vraiment au mouvement national qui se concrétisera à l'été 36 dans le Front populaire, Malraux est en revanche de toutes les tribunes où l'on débat du sort de l'Espagne. C'est là, à sa manière un peu donquichottesque, qu'il va partir défendre la liberté.

En octobre 1935, Mussolini a jeté ses avions et ses chars sur l'Ethiopie. En février 1936, en Espagne, le Front populaire a remporté les élections. La jeune République se débat quelque temps entre les attentats phalangistes et les grèves antifascistes. Le 17 juillet, les troupes du Maroc espagnol se soulèvent sous le commandement du général Franco. L'insurrection militaire touche bientôt l'Espagne entière. Le gouvernement décide d'armer le peuple. C'est le début d'une guerre civile qui va durer près de trois ans.

De 1934 à 1936, le peintre André Masson vit en Espagne. Quand la guerre civile éclate, il revient en France. Les dessins de cette époque (notamment ceux qu'il publia dans la revue de Georges Bataille, *Acéphale*) développent la symbolique de l'homme sans tête ou pourvu d'une tête animale.

Malraux se jette à corps perdu dans le combat de la République espagnole traquée par le fascisme

Le 21 juillet, au lendemain de la révolte de Barcelone, il s'envole avec Clara pour Madrid et débarque dans une ville dont personne ne sait au juste, en France, si elle est aux mains des républicains ou des rebelles... A son arrivée, l'écrivain José Bergamin, qu'il a rencontré quelques jours auparavant à Londres, le met en conctact avec les milieux républicains. Le 19, les quelques pilotes – et leurs avions – restés fidèles au gouvernement sont tombés aux mains des putschistes. Bien que les franquistes ne disposent pas encore des escadrilles que Mussolini et Hitler se préparent à leur fournir, leur avantage au sol est tel que seule une force aérienne pourra les empêcher de s'emparer bientôt de Madrid. Malraux repart avec une mission à sa hauteur : trouver en France des avions pour sauver la liberté.

Rentré à Paris, il fait tout pour obtenir une aide officielle de la France. En vain : le cabinet Blum est en passe de signer un pacte de non-intervention (qui sera aussitôt violé) avec l'URSS, la Grande-Bretagne, l'Italie et l'Allemagne. Malraux se démène tant et si

bien qu'il obtient pourtant une vingtaine d'appareils,
plus une dizaine d'autres, qui pourront rejoindre
l'Espagne un peu plus tard, le gouvernement français
acceptant de fermer les yeux. C'est avec ces avions
qu'il va former et commander l'escadrille de
combattants étrangers baptisée généreusement España.

« Je veux, pour tout un chacun, une vie qui ne se qualifie pas par ce qu'il exige des autres », dit Magnin à Vallado dans « l'Espoir »

Pendant sept mois, le *coronel* Malraux, sanglé dans un
uniforme qu'il porte d'une manière un peu artiste,

La guerre d'Espagne

La guerre civile qui déchire l'Espagne de 1936 à 1939 est un des événements majeurs d'avant la Seconde Guerre mondiale. Pendant toute cette période, Robert Capa, éternel chasseur d'images bondissant vers sa cible, faisait la navette entre la zone républicaine et Paris. L'image de ce combattant républicain fauché en pleine course deviendra dans l'histoire de la photographie le symbole de la tragédie espagnole.

Au risque de la guerre

Malraux, en pleine
guerre tournait
Sierra de Teruel. Robert
Capa et sa compagne
Gerda Taro, une
ravissante jeune
Allemande aux cheveux
de feu, insouciants du
danger, arpentaient le
champ de bataille, le
Rollei-flex en
bandoulière et le sourire
aux lèvres, suivant tout
particulièrement les
engagements auxquels
participaient les
combattants des
Brigades
internationales. Un
jour de juillet, elle est
fauchée par un char
républicain fonçant vers
la ligne de feu. « Pour
Gerda Taro, qui passa
un an sur le front
espagnol, et qui y est
restée », a écrit Capa au
bas de cette photo.

emmènera ses hommes au feu, avec un courage physique et une force morale qui aident à oublier qu'il est parfaitement incapable de piloter un avion ! « Bien qu'il ignorât tout du pilotage et que ses connaissances de navigateur et de bombardier fussent des plus sommaires, il s'envolait en qualité de chef de bord avec une bravoure frisant l'inconscience », raconte un de ses pilotes :

« Au combat son visage était celui du courage et de la froideur.

« Un jour même, alors que son groupe avait été déplacé d'Albacete sur une base de fortune entre Valence et Madrid, il me donna l'ordre de faire faire du " double " à ses pilotes.

« " Prends ce type, me dit-il, et lâche-le " Après quelques tours, je m'aperçus que le type en question, qui n'avait même pas son brevet de pilote – ce qu'il avait fini par avouer – faisait montre d'une incapacité à peu près totale. M'étant posé, je le dis à Malraux qui m'ordonna encore : " Je te dis de le lâcher, il faut le lâcher ! Il doit être prêt ce soir pour aller bombarder Saragosse. D'ailleurs, je suis commandant de bord et je partirai avec lui ! "

« Le soir venu, mes arguments, mes supplications n'y firent rien. Je dus " lâcher " le type.

« Avant le départ, je pris tout de même la précaution de faire arracher les oliviers qui barraient le fond du terrain. L'on ne put naturellement pas venir à bout d'un superbe abreuvoir qui " fermait " le bout de la piste. Malraux et son pilote novice s'envolèrent dans la nuit pour remplir leur mission. Le colonel lâcha ses bombes à vue – l'avion était dépourvu d'appareil de visée –, remit tant bien que mal le cap sur le terrain où j'attendais, angoissé, l'issue de la folle équipée d'un pilote qui pilotait à peine et d'un chef de bord qui ne

L'engagement de Malraux en Espagne n'a pas suscité un enthousiasme unanime. L'ancien général en chef de l'aviation républicaine, Hidalgo de Cisneros, devenu communiste dans les derniers jours de 1936, écrit dans *Virage sur l'aile* : « André Malraux n'avait pas la moindre idée de ce qu'était un avion, et il ne se rendait, je crois, pas compte qu'on ne s'improvise pas aviateur, surtout en temps de guerre. Quant à l'équipe qu'il amena avec lui (...), certes, dans le nombre, il y en eut trois ou quatre qui étaient des antifascistes sincères, venus en Espagne animés par leur idéal, et qui firent preuve d'un incontestable héroïsme. Les autres n'étaient que de simples mercenaires, attirés par l'appât du gain. »

savait pas du tout piloter ! Lorsqu'ils se pointèrent, heureusement ignorés par les chasseurs espagnols franquistes, par les Italiens et les Allemands, je poussai un soupir de soulagement. Trop tôt, puisque l'atterrissage eut lieu sur l'abreuvoir en pierre dont je n'avais pu venir à bout. Sans mal pour l'équipage, heureusement, mais au grand dam du matériel.

« Tu vois bien, me dit Malraux à peine dépêtré de la carlingue. Tu vois bien, il y est allé, il est revenu. Il est assez doué celui-là ! "

Son escadrille, avant l'aide des Soviétiques, fut ainsi la seule à s'opposer à l'aviation fasciste, notamment à Medelin et à Teruel. Peu à peu, tous les appareils – dont jamais plus de six ne volèrent en même temps, et qui étaient si mal préparés qu'au début les bombes devaient être larguées par les fenêtres –, furent détruits par les chasseurs d'Hitler et les bombardiers de Mussolini.

Selon une amie, Josette Clotis « avait une passion, la littérature. Elle aimait la vie, elle aimait bouger, voyager. Il fallait qu'elle se réveille une valise à la main. Elle possédait l'art de faire vivre l'irréel, de le rendre réel. Et puis un jour elle a rencontré Malraux. Elle a tout de suite aimé le prestigieux homme de lettres. Ses récits d'aventures l'éblouirent... Elle le suivra partout. »

« En combattant avec les républicains et les communistes espagnols, nous défendions des valeurs que nous tenions (que je tiens) pour universelles »

Au bout de quelque temps, il devient urgent d'obtenir l'aide du monde libre. En mars 1937, Malraux, promu ministre officieux de la Propagande et des Relations extérieures du gouvernement républicain, prend son bâton de pèlerin pour aller aux Etats-Unis récolter des fonds au profit de l'Aide médicale espagnole. C'est le premier voyage qu'il fait avec Josette Clotis, sa nouvelle compagne depuis sa rupture avec Clara. En cinq semaines de conférences, il fait connaître la cause républicaine à New York, Washington, Philadelphie, Cambridge, Los Angeles, San Francisco, Toronto et Montréal. Alternant avec flamme, malgré les difficultés de la traduction, les analyses politiques mondiales et le récit des exploits des combattants républicains, Malraux sait trouver un ton qui touche la grande Amérique : à son retour, un voyage à Valence lui permet de remettre au président Azaña plusieurs

dizaines de milliers de dollars. Mais déjà, entre deux avions, entre une conférence et un meeting, il travaille au nouveau livre qu'il portait peut-être déjà en lui, dès la première minute de son engagement : *l'Espoir*. Avec ce titre s'achève la succession des romans épiques commencée dix ans plus tôt avec *les Conquérants*. Quand Gallimard le publie en décembre 1937, les républicains espagnols viennent de perdre la bataille de Teruel... Immédiatement, Malraux, qui regrette encore qu'Eisenstein, en 1934, n'ait pas pu tourner comme il le désirait *la Condition humaine*, pense à porter son roman à l'écran. Le gouvernement républicain, de plus en plus alarmé par les résultats de la politique de non-intervention, qui livre le pays au fascisme international, lui donne carte blanche pour tourner son film en Espagne. L'indispensable Corniglion-Molinier, qui l'a suivi des déserts de sable à la Sierra de Teruel, en sera le producteur.

Il faut faire vite : « l'Espoir » se veut une œuvre de propagande pour la cause républicaine. Dans Barcelone constamment harcelée par l'aviation italienne, un tournage impossible commence...

« Drôle d'idée de venir tourner un film ici », pense Boris Peskine, un des collaborateurs de Malraux, à sa descente d'avion, en voyant monter dans le ciel les panaches noirs des derniers bombardements. Avec huit jours de pellicule d'avance (qui doit être développée à Paris à cause des arrêts de courant électrique), des acteurs qui ne font souvent que passer, sans lampes à arc, un découpage pratiquement au jour le jour, entre deux alertes, les inévitables problèmes de traduction,

> " A l'insu de Malraux, j'ai, au nom de tous, demandé au ministère de l'Air que notre escadrille s'appelle désormais l'escadrille André-Malraux. (...) Malraux n'a jamais été un militaire qui commandait. Tout le monde lui obéissait parce qu'il avait beaucoup de prestige et puis parce que les gens qui étaient là l'avaient voulu. "
>
> André Ségnaire,
> *Magazine littéraire*,
> octobre 1967

et au prix d'astuces techniques invraisemblables, Malraux et son équipe commencent une course effrénée contre la montre.

Denis Page, le chef opérateur, raconte : « On manquait un peu de tout. Alors il fallait se débrouiller. Un matin, nous nous trouvions au sommet d'une côte : les cavaliers du général nationaliste Mola étaient censés arriver en bas de cette côte et nous devions lancer contre eux une voiture remplie d'explosifs pour les stopper. Le syndicat des artistes nous avait promis leur meilleur cascadeur. Malraux, assisté de Max Aub, son interprète, lui explique la scène : " Vous faites démarrer la voiture, dit-il, lorsqu'elle a pris de la vitesse, vous sautez et vous la laissez partir. " Le cascadeur, effaré, de répondre : " Moi, je suis ventriloque ! " Comme il n'y avait plus d'hommes disponibles, le syndicat des artistes envoyait le premier venu. Un jour nous avons eu besoin d'un avion en studio. Malraux demanda à un nommé Bergeron, qui avait appartenu à l'escadrille España (...) de construire la maquette, grandeur nature, de l'avion, un Potez. Avec les pièces détachées qu'il trouva dans un cimetière d'avions, il reconstruisit le Potez que nous voulions : démontable, de manière à placer la caméra dans tous les angles sans trop de mal.

« Pour donner l'illusion d'un avion en vol, encore fallait-il qu'on vît défiler des nuages ! J'ai donc peint au pistolet un ciel de vingt mètres de long qui devait tourner sur un tambour. Hélas ! le tambour n'a pas marché. Alors nous avons mis le ciel sur un chariot et l'avons fait défiler parallèlement à l'avion. »

Selon Max Aub, le tournage même des scènes en extérieur fut plus d'une fois dramatique : « Un jour, nous volions dans un vieux Potez dont la mitrailleuse de la tourelle avait été remplacée par une caméra.

❝ N'est-ce pas un signe que dans le seul film de guerre qui ait, à notre avis, des chances de durer, toute propagande soit absente ? L'ennemi n'est jamais représenté ; mais seulement l'Ennemi, le destin. Malraux a prouvé qu'à l'écran aussi la plus éclatante affirmation politique n'allait pas sans une secrète interrogation spirituelle. ❞
Roger Leenhardt,
la revue *Fontaine,*
juin 1945

Nous allions filmer un village d'où devaient surgir des guérilleros attaquant des chars fascistes – cette scène n'a jamais été tournée car les vrais chars nous ont devancés ! Trois Messerschmitt sont apparus, volant très haut. Le pilote de notre appareil fit demi-tour et se faufila, à basse altitude, dans la vallée, comme en suivant d'invisibles méandres. Les Messerschmitt ne nous ont pas vus ou nous ont peut-être dédaignés. Je suis allé dans la tourelle du Potez et j'y ai trouvé Malraux qui récitait du Corneille. »

Le tournage de *Sierra de Teruel* continue jusqu'au début de 1939. Quand il devient évident, en janvier, que la capitale catalane, encerclée par les troupes franquistes, va tomber et que la République n'a plus longtemps à vivre, il faut se replier vers la frontière française. puis sur Paris. Vingt-huit séquences sur trente-neuf ont pu être tournées. Impossible d'achever

En 1970, *Sierra de Teruel* fut reprojeté à Paris. Le public et la critique lui firent un accueil passionné : « Ce qui frappe c'est moins le lyrisme tel qu'il s'exprime dans la grande séquence finale qu'une certaine aptitude à recréer le réel, à exprimer ses significations profondes à l'aide d'un simple " décor " (une rue partagée entre l'ombre et le soleil), de quelques gestes scrupuleusement observés, d'une mise " en regard " des

la réalisation en France. Dix fois, Malraux monte et remonte les éléments déjà existants. Quand il lève la tête de sa table de montage, Hitler a envahi et bombardé la Pologne : la Deuxième Guerre mondiale vient d'éclater. Pendant celle-ci, la seule et unique copie échappe par miracle aux Allemands. A sa sortie en 1945 sous le titre *l'Espoir*, le film reçoit le prix Louis-Delluc.

personnages excluant tout conflit autre que celui qui naît de leur situation. »

Jacques Chevallier,
Image et Son, mai 1970

" Sur la place de Moulins, le haut-parleur avait annoncé les premiers combats. Le soir tombait. Deux ou trois mille mobilisés écoutaient, maladroits dans leurs uniformes neufs parce qu'ils étaient neufs, ou dans les vieux parce qu'ils étaient sales : nul ne disait mot. Sur toutes les routes, les hommes avaient rejoint, et les femmes amères avaient conduit les chevaux à la réquisition. On montait au fléau. "

CHAPITRE IV
LE TEMPS DES ARMES

L e 10 juin 1940, le gouvernement quitte Paris. Le 12, est donné l'ordre de retraite générale. Paris évacue sans combat, des millions de civils fuient vers le sud en un immense exode.

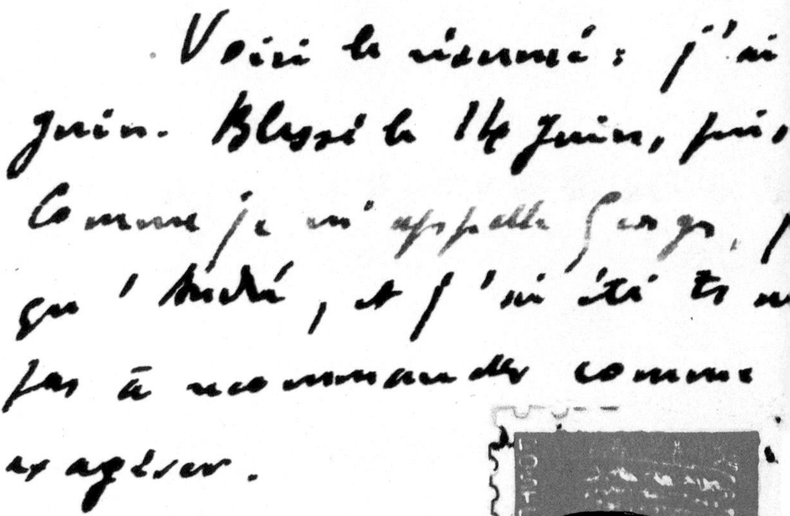

[manuscrit] Voici le résumé : j'ai
juin. Blessé le 14 juin, pris
Comme je m'appelle Serge,
qu'il médit, et j'ai été tr...
pas à recommander comme
es agliser.

Pendant deux ans, en fait, l'Europe a hésité à se lancer dans une guerre. Mais après l'agression de la Pologne par Hitler, l'ultimatum de l'Angleterre et de la France exigeant le retrait immédiat des forces allemandes se heurte à un refus méprisant. Le 3 septembre, la guerre est déclarée, la mobilisation proclamée.

Elle surprend un Malraux de trente-huit ans qui, avide de se replonger dans l'univers des formes (il s'attelle alors à la *Psychologie de l'art*), était venu méditer avec Josette Clotis devant l'admirable tympan d'une église de Corrèze :

« L'après-midi, j'avais vu, à Beaulieu, les affiches de la mobilisation. L'église de Beaulieu porte l'un des plus beaux tympans romans, le seul où le sculpteur ait figuré, derrière les bras du Christ ouverts sur le monde, ceux du crucifix comme une ombre prophétique. Sur la place déserte, les affiches décollées commençaient à pendre ; les gouttes d'eau sur la grappe avaient glissé de raisin en raisin et étaient tombées à petit bruit au milieu d'une flaque, l'une après l'autre, dans le silence. »

[note manuscrite]

Au silence des pierres va succéder le fracas des armes

En mars, Malraux s'engage. Refusé dans l'armée de l'Air, il est versé comme deuxième classe dans un régiment de blindés de Provins auquel ne manquent que les moteurs. C'est là qu'il rencontre celui qui deviendra l'ami de tous les instants, le maréchal des logis Albert Beuret.

Un temps, la « drôle de guerre » a pu faire penser que le conflit s'enlisait. En face de la ligne Maginot, Hitler n'a laissé qu'un rideau de troupes. Illusion. Le 10 mai 1940, il envahit la Hollande, la Belgique et le Luxembourg. Puis c'est l'offensive des Ardennes qui lui permet d'encercler les troupes alliées, la capitulation de la Belgique. La vague vert-de-gris déferle, inonde Paris, passe Lyon et fond sur Bordeaux. Le 10 juin, l'Italie déclare la guerre à la France. Le 17 juin, le maréchal Pétain propose la fin des combats. Le 22 juin, Hitler, dans ce même wagon de la forêt de Compiègne où Foch, en 1918, avait reçu la capitulation allemande, dicte ses conditions.

Lamentable conclusion pour le héros de la guerre d'Espagne que celle de ce premier engagement pour la France : « Nos chars de Provins étaient hors d'état de nous porter hors du polygone d'entraînement. En mai, nous avons fait mouvement à pied, avec des antichars. Nous avons un peu tiraillé. J'ai été très légèrement

Le 17 juin 1940, le président de la République, Albert Lebrun, confie à Pétain le soin de former le gouvernement. Malgré la stupeur de la défaite, la popularité du maréchal, vainqueur de Verdun en 1916, est considérable. Edouard Herriot, président de la Chambre, appelle tous les Français « groupés dans la détresse » à « ne pas troubler l'accord qui s'est ainsi établi sous son autorité ». Condamné à mort par la Haute Cour en août 1945, Pétain finira ses jours dans l'île d'Yeu.

blessé le 15 juin. Et le 16, nous étions faits prisonniers comme des fantassins, à mi-distance à peu près de Provins et de Sens, où l'on nous conduisit. » Dans cet entrepôt transformé en camp entouré de barbelés, ils sont plus de dix mille.

« Je me suis évadé en 1940, avec le futur aumônier du Vercors. » C'est sur ce passage que s'ouvriront plus tard les «Antimémoires»

Avec l'aide de son frère cadet Roland, Malraux n'a pas de mal à s'évader. Nous sommes en octobre. Il se réfugie dans la Drôme, puis près de Nice, à Roquebrune-Cap-Martin, chez un ami peintre. Avec Josette qui, alors qu'il courait vers la zone libre, lui a donné un fils, Pierre-Gauthier, Malraux découvre les joies de la vie familiale et retrouve celles de la création, dans un lieu préservé de la folie des hommes. Pendant trente mois, et malgré les incitations pressantes de divers visiteurs (dont Sartre, Beauvoir, Stéphane, Claude Bourdet), le guerrier fait une halte.

En novembre 1940, Josette Clotis, donne le jour à un fils, Pierre-Gauthier. Pour que l'enfant porte le nom de Malraux (qui est toujours marié avec Clara), c'est son frère Roland qui le reconnaît... La nouvelle famille s'installe à Hyères, et Malraux se consacre à ses « chères études » : un essai sur Lawrence, un nouveau roman, *la Lutte avec l'ange*, jamais publié, et la *Psychologie de l'art*.

On s'est souvent interrogé sur les hésitations de Malraux à rejoindre la Résistance : n'y voyait-il pas encore un rôle à sa hauteur ? Pensait-il vraiment, comme le rapporte Simone de Beauvoir, que les tanks russes et les avions américains gagneraient la guerre ? Avait-il vécu trop intensément en Espagne la splendeur inutile de l'héroïsme désarmé ? Si quelques indices et témoignages attestent que l'auteur de *l'Espoir,* dans cette période d'attente, n'est pas totalement coupé des combattants de l'ombre suscités par l'appel du 18 juin, il n'en reste pas moins vrai que, pour la première fois, la fraternité des armes le cède à la solitude de l'écriture.

A la fin de 1942, après un bref séjour dans l'Allier où il a rencontré un agent britannique du réseau Buckmaster, Malraux s'installe avec Josette et Gauthier en Corrèze, à Saint-Chamant, dans un petit château d'opérette. Il faut désormais redoubler de prudence :

depuis le 11 novembre, l'occupant nazi est maître de tout le pays. Par son frère Roland, qui est à Brives l'antenne du SOE du général Gubbins, Malraux noue des contacts plus étroits avec la Résistance.

Le 12 mars 1944, Claude, son plus jeune frère, membre d'un réseau qui faisait sauter des bateaux allemands sur la Seine, est arrêté par les Allemands. Le 21 mars, la Gestapo investit la ferme où Roland tentait d'établir un contact radio avec Londres. A son tour, Malraux se précipite dans le combat.

Au bout de trois mois, le « colonel Berger » aura fédéré tous les maquis du Périgord noir

Le Périgord noir, pays de la truffe et du cèpe. Pays semé de mille petits châteaux secrets qui sont autant de refuges pour les innombrables maquis plus ou moins autonomes qui ont germé là comme le seigle. Dans cette région cerclée d'un trait rouge sur les cartes de l'état-major allemand, plus de quinze mille hommes portent le flambeau d'un « terrorisme » qui, souvent, ne s'embarrasse pas de nuances. Mais, le moins qu'on puisse dire, c'est que la situation n'est alors pas des plus claires. Les rivalités et règlements de comptes divers, le manque de coordination des réseaux nuisent à l'efficacité des actions :

« L'appellation Forces françaises de l'intérieur donnée aux formations armées de la Résistance opérant sur le territoire national ne correspondait à aucune réalité morale ni matérielle, raconte le général Jacquot. En fait, les maquis appartenaient à divers horizons sociaux et politiques. L'Armée secrète, renforcée par les militaires de carrière regroupés dans l'ORA (Organisation de la résistance de l'armée), rassemblait les diverses tendances de l'opinion républicaine, des socialistes aux conservateurs ; les Francs-tireurs et partisans relevaient d'une direction communiste ; enfin de nombreux maquis suivaient des ordres de chefs indépendants dont l'autorité et le

Les deux frères de Malraux, Roland (à gauche) et Claude (à droite), sont entrés dans la Résistance dès les premières heures. Le premier sera arrêté en mars 1945, et exécuté peu après. Le second arrêté le 21 mars, est déporté. Il mourra le 3 mai 1945, quand le bateau, le *Cap Arcona*, battant pavillon nazi, sur lequel les SS ont embarqué des milliers de déportés, sera coulé par l'aviation alliée dans la Baltique.

prestige étaient assez grands pour leur permettre de subsister en marge des grands groupements. C'était une gageure de vouloir faire cohabiter des hommes ayant des concepts très différents de ce que serait la structure sociale de la France après le départ de l'ennemi. »

Malraux, en endossant la vareuse du colonel Berger, retrouve une ambition à sa mesure : il fédérera cette constellation de maquis, et en prendra la tête. Il redonnera à la France libre déchirée par les idéologies de tous bords l'unité qui lui manque.

Les témoignages abondent : encore une fois, le magnétisme joue. Pierre Viansson-Ponté nous en a laissé ce souvenir amusé : « Qui a rencontré alors cet étrange colonel Berger ne peut l'oublier. Le feutre à la Scarface ou le béret vissé sur la tête, allumant l'une à l'autre les cigarettes anglaises trouvées dans la pointe de containers parachutés – signe extérieur d'importance dans la clandestinité –, il monologuait, gouailleur et piaffant, sur les " copains ", " le père Churchill " et " le gars De Gaulle ", terminant chaque période par un " à vous de jouer " qu'il fallait se garder de prendre au pied de la lettre pour une invitation à donner la réplique. »

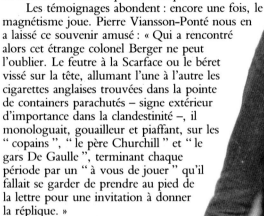

Jouant adroitement de sa prestance, de son imagination (n'ira-t-il pas jusqu'à inventer pour son poste de commandement du château d'Urval le nom un peu ronflant de « PC interallié » ?) et de ses relations qu'il a soignées (tant avec les Anglais qu'avec les Français, du côté gaulliste comme du côté communiste), le colonel Berger impose sa maîtrise, ses idées, son courage et, avec toutefois quelques difficultés, son ambition nouvelle de faire flotter le drapeau tricolore plus haut que le drapeau rouge.

« On ne demande pas à un type qui va faire sauter un viaduc s'il a un casier judiciaire vierge »

Soleil, jeune dieu marseillais de vingt-six ans, est l'un de ces chefs improvisés, mi-brigands, mi-héros, dont l'aura montante du colonel Berger risque de ternir la gloire. Communiste ? Anarchiste ? Malfrat ? Bien malin qui pourrait le dire. En juin, il a attaqué à la grenade avec ses hommes un train blindé, au prix de lourdes pertes. Son état-major, c'est Double-Mètre, un géant placide, et Blancheneige, un Noir qui n'a pas son pareil pour se fondre dans l'ombre.

La rencontre entre Malraux et Soleil, un 25 juin 1944, anime encore aujourd'hui les veillées des fermes périgourdines. « On ne me convoque pas, on se déplace pour me voir », a répondu le jeune chef de maquis anarchisant quand Malraux a voulu réunir tous ceux qui disposent d'un peu de pouvoir, au château de la Poujade. Soit. Malraux ira, la nuit, sur les terres de Soleil, dans cette épaisse forêt du Brel-Bas où niche son PC, non sans prendre la précaution de faire placer quelques tireurs d'élite aux endroits stratégiques.

Pierre Galante raconte : « Lorsque l'écrivain combattant s'avance vers le plus téméraire des chefs de maquisards, celui-ci est stupéfait. Malraux, accompagné de plusieurs des membres de son état-major, se présente, tend la main et – comme en Espagne – dit : " Salut ! " Dans ce Périgord noir, où les Allemands incendièrent un bourg entier (à deux pas des grottes sublimes de Lascaux), c'est une entrée lumineuse.

« Il m'a impressionné, avoue Soleil, Malraux reparti. Pour la première fois de ma vie, j'ai eu envie de me mettre au garde-à-vous.

– Tu aurais dû le faire, répond Double-Mètre. C'est un grand bonhomme qui met, lui, la Résistance au-dessus de la politique. »

Il a suffi de cinq minutes pour qu'en Malraux ils

66 C'était le type à prêcher l'évangile Sainte-Carabine à longueur de conversation, la révolution avec des références à la Chine et à l'Espagne. Je n'ai su son identité véritable que le 18 août, à la libération de Toulouse. Mais par ses attitudes, par son physique et son style, j'avais bien vu qu'il n'était pas militaire. Trop intelligent. Il portait un uniforme bidon. Son physique n'allait pas avec. (...) Déjà voûté, il parlait, et c'était le tour de la planète qu'il faisait. (...) Le général Vincent, un vieux militaire, était sidéré. Moi, je me suis tu pour la première fois de ma vie. Berger refaisait le monde seul. 99

André Rudelle, cité par Jean Lacouture, *André Malraux*

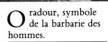

Oradour, symbole de la barbarie des hommes.

reconnaissent « le Patron ». A Urval, où finalement tous les chefs sont venus faire allégeance, Malraux martèle : « Vous êtes des chefs. Je vous confirmerai dans votre commandement si vous prenez l'engagement d'attaquer et de vous battre lorsque je vous en donnerai l'ordre. A ce moment-là seulement. Je ferai exécuter ceux qui n'obéiront pas. »

Dès lors, le colonel Berger règne sur trente-sept groupes dont il coordonne l'effort. Le 6 juin 1944, c'est le débarquement et l'appel lancé de Londres à l'insurrection générale et immédiate sur l'ensemble du territoire. L'enjeu, c'est de retarder au maximum, en sabotant les voies ferrées, la montée des renforts allemands vers le front de Normandie. Alors que les Allemands se terrent dans leurs cantonnements, en une nuit, le réseau ferroviaire français est cisaillé, les routes stratégiques coupées. « Le mouvement qui souleva le peuple français dans ces trois départements [la Corrèze, la Dordogne, le Lot] fut admirable », écrit le général Jacquot. La galvanisation des énergies opérée par Malraux n'y fut sans doute pas pour rien.

Deux cercueils sur la neige des Glières. Le lieutenant Morel, dit Tom, et l'adjudant Descours, tués par un Français : un milicien capturé à qui ils avaient laissé son arme pour « la sauvegarde de son honneur d'officier ».

Le 22 juillet 1944, sur une petite route du Lot, la voiture arborant les insignes de la France libre croise une patrouille allemande

Fusillade. L'auto verse. Blessé à la jambe, Malraux est pris. Simulacre d'exécution, les yeux bandés, puis l'interrogatoire : un incroyable quiproquo entre le dossier de son frère Roland et le sien, que l'écrivain a raconté dans ses *Antimémoires*.

   A la prison Saint-Michel de Toulouse, le colonel Berger attend un deuxième interrogatoire qui signifiera le peloton d'exécution. Toute la nuit, le défilé des lourds camions allemands fait trembler les murs. Puis c'est le martèlement des chars. Se bat-on au nord de Toulouse ?

   « Tout à coup nous regardâmes, tous gestes suspendus : dans la cour de la prison, des voix de femmes hurlaient *la Marseillaise*. Ce n'était pas le chant solennel des prisonnières au moment du départ pour le camp d'extermination, c'était le hurlement que l'on entendit peut-être quand les femmes de Paris marchèrent sur Versailles. »

Contraste, de larges sourires naissent enfin sur les lèvres : Paris est libéré entre les 15 et 25 août 1944.

   Les Allemands étaient partis. Enfoncer la porte est un jeu d'enfant. Malraux vole à Paris retrouver

Josette, échange avec Hemingway quelques paroles qui sont autant de coups de griffe :

« Bonjour, André.

– Bonjour, Ernest. Combien en avez-vous commandé ?

– Dix ou douze, répond Hemingway avec une insouciance étudiée. Au plus deux cents. »

Le visage de Malraux tressaille, parcouru par l'un de ses tics bien connus.

« Moi, dit-il, deux mille. »

Hemingway fixe sur lui un regard glacé et réplique d'un ton impassible :

« Quel dommage que nous n'ayons pas eu votre aide quand nous avons pris cette petite ville de Paris. »

Eh bien, si Malraux n'a pas repris Paris, il libérera l'Alsace !

Dans l'immense mouvement populaire suscité par la libération de Paris, quelques Alsaciens et Lorrains se prennent à rêver : rentrer chez eux les armes à la main, ne serait-ce pas le plus beau symbole du retour à la paix française ? Trois résistants de la première heure – un médecin, Bernard Metz, un prêtre, Pierre Bockel, un instituteur, Antoine Diener-Ancel –, ont conçu un projet grandiose : créer une brigade autonome (alors que tous les FFI avaient été intégrés dans la 1re Armée française) de maquisards qui iront délivrer l'Alsace-Lorraine, venger les humiliations subies et parfois, trouvent-ils, trop aisément consenties par leurs compatriotes. Ils cherchent un chef.

Immédiatement, Malraux s'enthousiasme : la brigade Alsace-Lorraine vivra, et le colonel Berger plantera sur la flèche de la cathédrale de Strasbourg, symbole glorieux de la patrie, le béret noir républicain qui ne l'a jamais quitté depuis la guerre d'Espagne !

❝ Quand la bataille faisait rage, il arrivait aux nerfs de faiblir et à la peur ou au désespoir de s'emparer de l'un ou de l'autre. C'est alors qu'au milieu des sifflements et des éclatements qui tenaient chacun terré dans son trou, la silhouette du colonel Berger apparaissait sur un tertre ou à la lisière d'un bois. Une cigarette à la bouche, il donnait des ordres brefs, puis, silencieux, il regardait en direction de l'adversaire d'un regard que nous savions chargé de toute autre chose que de haine, car Malraux méprise tout autant la haine que la guerre. Cette présence (…) constituait un exemple et un symbole : le symbole de notre commune volonté qu'il incarnait. Cherchait-il la mort ? On aurait pu le croire à la manière dont il s'exposait et sachant par ailleurs que la mort ainsi trouvée constitue l'acte suprême de la liberté : le don de la vie pour la vie des autres est l'ultime dépassement par quoi l'homme se libère et se transcende tout à la fois. Cela, chacun des soldats, chacun des « partisans » de Malraux l'éprouvait au fond de soi, au moins d'une manière confuse. **❞**

Pierre Bockel,
cité par P. Galante,
Malraux

Aussitôt dit, aussitôt fait : deux mille hommes sont rassemblés, habillés d'uniformes disparates, armés tant bien que mal de prises de guerre : « Je compte sur chacun de vous pour accomplir ce devoir désormais sacré, libérer l'Alsace, et je salue, messieurs, ceux qui tomberont demain au champ d'honneur ! »

Dès septembre 1944, la « brigade très chrétienne du colonel Berger », comme on l'appelle par ironie, connaît le feu au Bois-le-Prince. En novembre, elle prend la ville de Dannemarie. En janvier 1945, avec la 1re DFL, elle sauvera Strasbourg de l'offensive de von Rundstedt. Du colonel Berger à ses hommes, la légende nous a transmis ces fortes paroles : « Vous tiendrez vos positions coûte que coûte, jusqu'à l'épuisement des munitions. Dans le cas où votre situation deviendrait impossible, vous vous retirerez dans la ville de Strasbourg où nous nous battrons quoi qu'il arrive, rue par rue, maison par maison. Strasbourg ne sera abandonnée en aucun cas. »

Pour une fois, Malraux est du côté des vainqueurs. Et c'est une cause nationale qui apporte au combattant de l'Indochine et de l'Espagne sa première victoire. « Dans la Résistance, j'ai épousé la France », commente-t-il dans les *Antimémoires*. Et à Roger Stéphane, plus tard :

« La guerre m'a apporté quelque chose de complètement nouveau : premièrement, la France écrasée ; deuxièmement, ce que je pouvais vouloir pour le prolétariat se confondait parfaitement avec ce que je voulais pour la France. Ce n'est qu'après que ça s'est distingué. »

> Brigade - Indépendante
> Alsace-Lorraine.   3
>
> Ordre de Mission.
>
> Le Colonel Berger
> Commandant la Brigade Indépendante
> Alsace Lorraine, prie toutes auto-
> -rités F.F.I. de faciliter, dans
> toute la mesure du possible, le
> mouvement du Bon Bataillon
> Lot, pour la direction du
> Commandant Chamson, en direc-
> -tion de Lyon.
>
> A Aubazine le 10/9/44.
> Le Colonel Berger.

André Chamson (photo de droite), le directeur de *Vendredi*, avait pris le maquis dans le Lot. A la fin du mois de septembre 1944, la brigade Alsace-Lorraine qu'il a réussi à former avec Malraux et Jacquot compte plus de 2 000 hommes et 3 bataillons. Jusqu'en février 1945, les volontaires de la brigade luttent jusqu'à la « libération complète du territoire national. »

Novembre, mois des Trépassés

Le 11 novembre 1944, Malraux apprend la mort accidentelle de celle qui était sa compagne depuis la guerre d'Espagne, Josette Clotis. En novembre 1943, elle lui avait donné un second fils, Vincent.

Le père Pierre Bockel raconte : « Alors que nous étions en repos dans quelque village de la Haute-Saône, la nouvelle se répandit dans nos différentes unités : la femme du colonel vient de mourir, victime d'un accident. En fait, alors qu'elle s'élançait dans le train qui venait de démarrer de la gare de Saint-Chamant, elle trébucha et glissa sous les roues du train. Je me précipitai au PC du colonel. La rencontre fut poignante et je crois que nous n'échangeâmes pas une parole. Sur son visage tendu, rien ne laissait percer la douleur qui l'étreignait et je me détournai bien vite pour ne pas laisser apparaître mon émotion. La mort venait de le toucher au plus vif de lui-même. Il le reconnaîtra plus tard, par un propos oblique des *Antimémoires* : parlant de Lawrence d'Arabie, il écrira : " Il ne semble pas avoir connu la mort d'une femme aimée. C'est... la foudre ! " »

Peu de temps après, lui parvient la nouvelle que son frère Claude a été exécuté comme résistant et que son autre frère, Roland, déporté à Neuengamme, a disparu sur l'un de ces fameux cargos que les Allemands offraient comme cibles à l'aviation alliée.

La mort a frappé autour de lui. De son pas rapide et nerveux, le visage déformé par un tic il reprend son chemin, plus lourd de trois deuils ineffaçables.

« Nous fûmes les personnages d'une curieuse intrigue, qu'il pressentit sans doute avant moi. Je pense que lorsqu'on me transmit son appel supposé, on lui transmit le mien, qui ne l'était pas moins »

Novembre 1940 : manifestation sur la Canebière, comme il s'en produit régulièrement. Ronflements de moteur, crissements de pneus, cris, coups de sifflets : c'est la rafle habituelle. Au fond du car de police bondé, une jeune femme : c'est la secrétaire de Varian Fry, un jeune Américain qui dirige alors à Marseille l'Emergency Rescue Committee, chargé d'aider les personnalités les plus menacées à quitter la France.

Dans la poche droite de son manteau, la lettre. Si on la trouve sur elle à la fouille, c'est la preuve qu'elle fait partie de ces passeurs qui, au péril de leur vie, assurent une problématique liaison avec Londres. Un cahot : sa main se glisse dans la poche et commence à rouler en boule le mince feuillet de papier pelure. « Avancez-vous un peu, cachez-moi », souffle la jeune femme à son voisin sans lever les yeux. Elle cache sa tête dans ses mains, la boulette de papier pelure a disparu dans sa bouche. Et la lettre dans laquelle Malraux proposait au général de Gaulle de mettre au service des FFL ses compétences d'aviateur n'arrivera jamais à Londres. Cette fois-ci, l'Histoire a balbutié.

Un autre message, verbal celui-là, n'atteindra pas son destinataire. Malraux en déduit que de Gaulle ne veut pas à ses côtés d'un aventurier antifranquiste…

En janvier 1945, deux organisations se disputent la haute main sur l'ensemble de la Résistance : le MLN, regroupant des mouvements de la zone sud, et le Front national, contrôlé par le Parti communiste. Au congrès du MLN, Malraux appelle ses camarades à une « nouvelle résistance » (contre le Parti communiste ?), formule dans laquelle beaucoup entendent le reniement par le héros de la guerre d'Espagne des engagements de sa jeunesse. Salué par un triomphe, son discours fait basculer la majorité : le congrès se prononce contre la fusion du MLN et du FN.

Pour forcer le cours d'un destin qui, décidément, tarde à se mettre en branle, il ne restera plus qu'à avoir recours à un procédé digne d'un vaudeville

En janvier 1945, chez Corniglion-Molinier, Malraux rencontre le capitaine Claude Guy, aide de camp de De Gaulle. Comme à l'accoutumée, il est éblouissant.

Un soir, la voiture militaire de l'aide de camp s'arrête devant le perron de la maison de Boulogne :

« Le général de Gaulle vous fait demander, au nom de la France, si vous voulez l'aider.

— La question ne se pose évidemment pas, répond Malraux d'une façon pour le moins équivoque.

— Je vous dirai l'heure demain », fait semblant de ne pas entendre son interlocuteur. (« J'étais étonné. Pas trop : j'ai tendance à me croire utile... », commente Malraux dans ses *Antimémoires*...) Il l'aurait été beaucoup plus s'il avait su que, quelques jours auparavant, Claude Guy avait glissé au Général :

« Savez-vous, mon général, que le plus cher désir de Malraux est de vous rencontrer, et de pouvoir enfin se mettre à vos côtés au service de la France ? »

Malraux n'apprendra que quelques mois plus tard que, en fait, de Gaulle ne l'avait jamais appelé...

C'est par l'entremise de ce Mercure complaisant que les fils hésitants du destin se trouvent enfin noués. Ils ne se dénoueront que vingt-cinq ans plus tard, à la mort du nouveau père que Malraux vient de s'inventer.

Sur le front de l'Est, avec Churchill, de Gaulle se prépare à incarner la France... En novembre 1945, il appellera Malraux au ministère de l'Information.

❝ De Gaulle réfléchit absolument comme un intellectuel, là-dessus, il n'y avait aucune espèce de doute (...). Quand je l'ai connu, mon sentiment immédiat a été qu'il ne ressemblait pas tant que cela à Richelieu, certainement pas à un grand capitaine puisqu'il n'avait pas gagné la bataille, il ressemblait avant tout à un homme comme saint Bernard, c'est-à-dire à l'homme d'une vocation : naturellement, sa vocation s'appelait la France. ❞

Roger Stéphane,
André Malraux,
entretiens et précisions

Le 6 août 1945 une bombe atomique américaine anéantit Hiroshima.

Le 10, au ministère de la Guerre, rue Saint-Dominique, Malraux et de Gaulle se rencontrent. Mais il serait plus juste de dire que Malraux rencontre de Gaulle : l'aventurier qui depuis vingt ans bâtissait son mythe se trouve soudain confronté à l'homme qui, le 18 juin 1940, avait installé sa légende.

CHAPITRE V

LA GLOIRE ET L'IMMORTEL

Chacun des chefs-d'œuvre est une purification du monde, mais leur leçon commune est celle de leur existence, et la victoire de chaque artiste sur sa servitude rejoint, dans un immense déploiement, celle de l'art sur le destin de l'humanité. L'art est un anti-destin.

Les Voix du silence

« D'abord le passé, me dit-il. » En quatre mots, de Gaulle avait conquis Malraux, qui n'a jamais rien aimé mieux que se raconter. Où en êtes-vous avec les communistes ? sous-entend le Général. Et où en sont les communistes ?

Et tous deux, toujours, dans les futurs combats pour une France dégagée de l'influence communiste, se retrouveront sur le terrain de l'antimarxisme.

De cette entrevue qui dure une longue heure, Malraux rapporte, dans ses *Antimémoires*, ses tirades, et les silences de son interlocuteur :

« Les Actualités m'avaient rendu familiers son aspect et même le rythme de sa parole, qui ressemble à celui de ses discours. Mais au cinéma, il parlait ; je venais de rencontrer un homme qui interrogeait, et sa force prenait d'abord, pour moi, la forme du silence. Il ne s'agissait pas d'un interrogatoire. Il aime la courtoisie de l'esprit. Il s'agissait d'une distance intérieure que je n'ai rencontrée, plus tard, que chez Mao Tsé-Toung. Il portait encore l'uniforme. Mais l'éloignement des généraux de Lattre et Leclerc ne leur appartenait pas, il appartenait à leurs étoiles. Je me demandais souvent, devant tel militaire : que serait-il " dans le civil " ? Tantôt de Lattre eût été ambassadeur, et quelquefois cardinal. Dans le civil, le général de Gaulle eût été le général de Gaulle. » Son silence était une interrogation.

lbert Camus, dont Malraux avait fait éditer *l'Étranger* en 1942, fit de *Combat* le meilleur journal français de l'immédiat après-guerre.

Le 21 novembre 1945, de Gaulle forme un gouvernement tripartite (MRP, SFIO, PCF), Malraux, ici, entre Francisque Gay et Adrien Tixier, y entre comme ministre de l'Information.

« Ne vous y trompez pas. La France ne veut pas la révolution. L'heure est passée »

Ce qui frappe dans les conversations de Gaulle-Malraux, que ce soit l'auteur de *l'Espoir* qui les rapporte ou qu'on les retrouve, fidèlement retranscrites, sous la plume de Claude Mauriac, longtemps secrétaire du Général, c'est leur aspect « trans-historique » : l'Histoire n'est évoquée que pour en dégager les lois. Issus

tous deux d'une tradition authentiquement humaniste, ils transcendent l'homme parce qu'ils parlent en héros – de cet autre côté de l'Histoire, comme on dit de l'autre côté du miroir, où l'on n'a de comptes à rendre qu'aux dieux, ou à soi-même. Lorsque de Gaulle parle de lui dans ses *Mémoires*, il dit : de Gaulle. Lorsque Malraux évoque son nouveau héros, son second père, il use de cette rhétorique spectaculaire qui dénote plus le geste que la voix, plus la sculpture de Phidias que l'entretien radiophonique.

Dans cette première entrevue, ils parlent de la France, de la Russie, de la Révolution française et de Saint-Just, des communistes et des intellectuels. Ces derniers sont le sujet le plus actuel de cet entretien intemporel : de Gaulle est en butte à leurs attaques, à de rares exceptions près. Moins des intellectuels du PCF (Eluard, Aragon...) que de ceux qui, aux marges du Parti, gardent avec tous une réserve critique : Albert Camus Jean-Paul Sartre, Maurice Merleau-Ponty...

" Nous ne savions même pas que le général de Gaulle était si grand. J'avais pensé aux délégués du tiers état stupéfaits lorsqu'ils avaient vu pour la première fois Louis XVI ; jusqu'en 1943, nous n'avions pas connu le visage de l'homme sous le nom duquel nous combattions. "

Antimémoires, II, 2

« Où en sont les intellectuels ? »

« Il y a ceux que la Résistance a menés au romantisme historique, et cette époque devrait les combler. Ceux qu'elle a menés, ou qui se sont menés tout seuls, au romantisme révolutionnaire, qui consiste à confondre l'action politique avec le théâtre » De Gaulle n'a pas l'appui des intellectuels ? Il aura celui de Malraux. Dans leur première entrevue, on flaire un mélange de fascination, de complicité – et une volonté évidente de séduction.

Malraux est séduit. Il entrera dans le cabinet que forme de Gaulle en novembre 1945, comme ministre de l'Information. Après la dissolution du ministère, trois mois plus tard, il devient son porte-parole, et, parfois, son porte-glaive.

A la Libération, Sartre a convaincu Gaston Gallimard de lancer une nouvelle revue, *les Temps modernes*, pour remplacer *la Nouvelle Revue française*, discréditée pendant l'Occupation par les prises de position de son ultime directeur, Drieu la Rochelle, qui vient d'ailleurs de se suicider en faisant de Malraux son exécuteur testamentaire. Avec Camus, Merleau-Ponty, Beauvoir, Sartre fait bientôt de la nouvelle revue la tribune de l'existentialisme, cette philosophie de « l'homme révolté » face à un monde « absurde ».

Le 20 octobre 1947, Sartre lance une émission de radio à laquelle il donne le titre de sa revue. Et, pour la « première », tous attaquent, et violemment, de Gaulle et sa politique « atlantiste », comparant les affiches du RPF à celles du pétainisme : « Un général au pouvoir, on sait quel avenir cet événement nous préparerait : le bâillon, l'étouffoir, la mort d'un droit à la vie pour lequel tant de héros n'ont pas craint de mourir... »

« M. Sartre s'en prend au physique du général de Gaulle : est-il satisfait du sien ? » (Paul Claudel)

Malraux, ulcéré par cette polémique sans grande finesse, menace Gallimard, son éditeur, de le quitter s'il persiste à soutenir cette revue iconoclaste. Tout s'arrange : Sartre et Malraux restent dans l'écurie Gallimard, maintenant rue Sébastien-Bottin, *les Temps modernes* s'exilent chez Julliard.

❝ Les mots ne sont pour lui que des *flatus vocis*, ce qui ne l'empêche pas de les prendre pour des pensées et de croire avoir inventé une idée quand il a trouvé une formule. Regarder un objet et dire honnêtement ce qu'il a vu, c'est une activité trop modeste pour lui : au lieu de l'affronter, il fuit il lui faut toujours penser à autre chose. ❞

Simone de Beauvoir,
Tout compte fait

Rien ne s'arrange : malgré des rapprochements ponctuels, Malraux et Sartre préféreront, désormais, s'ignorer. Simone de Beauvoir résume ainsi l'épisode :

« Si depuis 45 l'attitude de Malraux m'a paru dérisoire ou scandaleuse, c'est que toute sa conception de l'homme, de la vie, de la pensée, de la littérature est radicalement opposée à la mienne. Il avertit d'emblée le public qu'il va se placer sur le plan le plus élevé : au niveau non des individus mais des Civilisations, non des hommes mais des statues et de leurs dieux, non de la vie et de la mort quotidiennes, mais du Destin ; c'est-à-dire que ce monde-ci, le monde terrestre, sera escamoté au profit de notions et de concepts mystificateurs. »

Malraux s'était gaussé de ces intellectuels qui menaient leurs combats depuis la terrasse du Café de Flore, – haut lieu de l'intelligentsia parisienne dès la Libération. En réponse, Camus « oublia » Malraux quand il écrivit *l'Homme révolté* – estimant sans doute que depuis son ralliement à de Gaulle Malraux avait fait une croix sur ses révoltes.

A une époque où la moitié des intellectuels français chante la gloire de Staline, la campagne anticommuniste de Malraux ne le rapproche pas des existentialistes, qui ne voient dans son attitude que le reniement de ses engagements passés.

Aux terrasses de Saint-Germain-des-Prés, Sartre peaufine avec Simone de Beauvoir ses articles vengeurs des *Temps modernes*.

« Le gaullisme est tout d'abord la religion de la patrie, le rejet de tout ce qui n'est pas la grandeur et l'autonomie nationales. Le gaullisme suppose une permanence »

C'est ainsi que Malraux salue dans *le Rassemblement*, l'hebdomadaire qu'il a créé en 1948, le succès des gaullistes aux élections de 1951. Voilà déjà trois ans qu'il est la voix de celui qui incarna, pendant la guerre, la voix de la France. De ministre de l'Information il est passé délégué à la propagande du RPF, le parti du Général. Inlassablement il parcourt la France, puis le monde : en 1952 il est en Egypte, en Iran, aux Indes ; en janvier 1953, il est à New York.

En Extrême-Orient les guerres se succèdent. Les Américains s'enlisent en Corée, les Français s'embourbent en Indochine ; mais quand Dien Bien Phu tombe, les gaullistes ont déjà entamé, à la suite de leur chef replié à Colombey, ce que Malraux appelle, d'un mot qui va faire florès, la « traversée du désert ». On sent poindre des impatiences : « Mon général, aurait dit Malraux, nous avez-vous menés au bord du Rubicon pour y pêcher à la ligne ? »

La référence à César saisi par la tentation de la dictature n'est pas fortuite. L'un après l'autre les gouvernements tombent. La IVᵉ République proclamée en 1946 se ridiculise lentement dans l'impuissance du « régime des partis ». L'un après l'autre les présidents du conseil chutent : après Antoine Pinay, Pierre Mendès France ; après Edgar Faure, Guy Mollet...

Et toujours la guerre. Après l'Indochine (la république du Nord-Vietnam vient de naître), il faut négocier l'indépendance du Maroc et de la Tunisie. A la même époque, des troubles éclatent en Algérie, on y envoie l'armée pour « pacifier » : et la situation s'aggrave.

Malraux s'est remarié en 1948 avec Madeleine, la veuve de son demi-frère Roland mort à Hambourg.

Il demeure l'homme lige du général, sans négliger pour autant son œuvre : ces temps d'engagement politique sont aussi ceux de la plongée dans l'intemporel, au cœur du monde de l'art. Malraux prête sa voix à la politique, et sa plume à l'esthétique.

L'Indochine devient un piège sanglant pour les Occidentaux. Dien Bien Phu tombe le 8 mai 1954, amer anniversaire...

Le général MacArthur, en Corée, contient les attaques conjuguées des Chinois et des Russes de 1950 à 1953. L'armistice de Pan Munjom installera une paix précaire.

« Le chef-d'œuvre ne maintient pas un monologue souverain, mais un invincible dialogue »

Dès 1947, comme pour se purger d'une Histoire balbutiante, Malraux se lance dans l'histoire des formes – ou plutôt il part à la recherche de ce qui, malgré l'Histoire, les pérennise. De ce qui, dans la beauté, tient moins à la fascination de l'instant qu'à une reconnaissance – de quel modèle... ?

Les techniques d'impression et de reproduction ont changé : l'apparition de la couleur dans l'édition d'art encourage Malraux à citer des œuvres que l'on peut à présent donner à voir, et non plus seulement évoquer.

A Genève, Skira édite, de 1947 à 1949, *le Musée imaginaire, la Création artistique, la Monnaie de l'absolu*, regroupés dans *la Psychologie de l'art*, puis repris, remaniés, dans *les Voix du silence*, dédiées à Madeleine, et publiées dans la collection de la Galerie de la Pléiade. A cette même collection Malraux livre un *Léonard de Vinci*, un *Vermeer* et enfin *Saturne*, puissant essai sur Goya...

Le temps des dieux n'est pas celui des vivants

La nécessité de donner un prolongement aux *Voix du Silence* s'est imposée à Malraux lors d'un séjour à Lucerne, en 1953.

Dans la grande maison de Boulogne, où il habite depuis 1945, avec Madeleine et Alain (le fils de Roland), ainsi qu'avec Gauthier et Vincent, guidé par l'étoile d'un nouveau titre, *la Métamorphose des dieux*, il se remet au travail. Malraux au quotidien, quand il se trouve engagé dans un dialogue solitaire avec les dieux et les formes, n'est pas exactement ce que l'on appelle un joyeux drille... Alain Malraux nous en a laissé un témoignage à la fois admiratif et sévère : « A la chrétienne communion des saints, se substituait pour lui une communion des créateurs. Son temps " retrouvé ", en somme, qui lui permettait d'échapper au temps des autres : le nôtre à nous, qui n'aurions pas droit à cette survie puisqu'il nous absorberait tout entiers, nous anéantirait.

« Dès lors que lui parlaient avec cette priorité écrasante ce qu'il a nommé les " voix du silence ", celle des siens et même celle de ses autres interlocuteurs risquaient à tout moment de n'être qu'une interférence, un bruit de fond...

« Avec une volonté acharnée, il écrivait, lisait en vue de faire avancer son travail, ne s'accordait pas un instant de répit. Je crois qu'il est mort sans connaître le sens du mot vacances... »

Dans les années 50, l'artiste américain Saül Šteinberg (né en 1914), sous l'influence de Paul Klee, porte le graphisme à la limite de la présence et de l'absence, la signification de la ligne à son point le plus exaltant. Ce Malraux à peine cerné et pourtant vivant et multiple, entre la dérobade et la pétrification, le masque et la lourdeur du masque qui ne cache peut-être rien, n'est pas le moins bon avatar du chantre de la métamorphose...

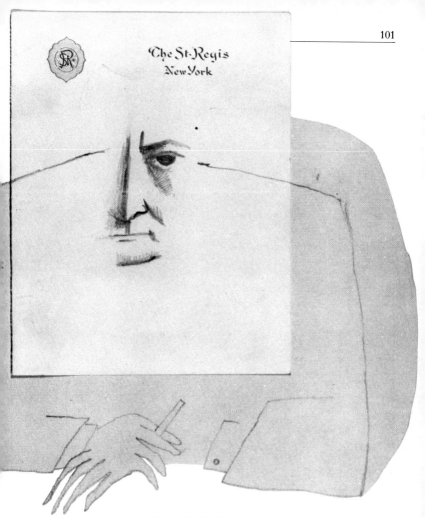

La « Méta », comme on l'appelle familièrement à la maison pour dédramatiser la chose, conçue au départ comme l'introduction à un livre essentiellement composé d'illustrations, prend des proportions telles que Malraux se perd, s'y épuise, devient irritable et nerveux. La gestation s'avère plus difficile que prévu…

« Il ne fallait pas moins que l'effacement volontaire de ma mère, poursuit Alain Malraux, qui touchait beaucoup plus rarement son piano, son

Vermeer, ou la paix par la peinture

L'artiste hollandais du XVIIe siècle est pour Malraux une préfiguration de l'artiste absolu, enfermé entre les murs de sa maison, recomposant sans cesse le même paysage entrevu de sa fenêtre – *la Vue de Delft* (ci-contre) – peignant indéfiniment les mêmes modèles – sa famille, dans *la Lettre* (à gauche) et la *Femme aux bijoux* (ci-dessous) et lui-même –, comme si la peinture avait le don de dire la douceur de vivre et d'arrêter le temps.

❝ Vermeer est un intimiste hollandais pour un sociologue, non pour un peintre. A trente ans, l'anecdote l'ennuie ; et l'anecdote dans la peinture hollandaise n'est pas un accident. Le sentimentalisme sincère de ses « rivaux » lui est étranger ; il ne connaît d'atmosphère que la poésie, et due au raffinement de son art ; sa technique est aussi différente de celle de Pieter de Hoog, avec qui on le confondait naguère que celle de Ter Borch ou des meilleurs Fabritius. A peine leur était-il aussi lié que Cézanne aux promeneurs. **❞**

les Voix du silence

Goya, ou la guerre par la peinture

En 1947, Malraux avait rédigé une présentation aux peintures de la « Quinta del sordo », plus tard reprise dans le *Triangle noir*, où Goya symbolise la révolte dans l'art, aux côtés de Choderlos de Laclos – l'insurrection littéraire – et de Saint-Just – la révolution en marche. Ce que l'auteur de l'*Espoir* avait vu en Espagne ne pouvait que le rapprocher de Goya, autre témoin hurlant des horreurs de la guerre. « Goya introduit l'infernal dans l'univers humain », écrit Malraux dans *Saturne*. Saturne, c'est le dieu du Temps qui dévore ses fils. L'après-guerre développe une philosophie de l'absurde née du sentiment, toujours présent et oppressant, d'une nouvelle Apocalypse. Goya, « premier metteur en scène de l'absurde » peint ses cauchemars sur les murs de sa maison : *Saturne*, (ci-contre) *le Sabbat ou le grand bouc* (deux détails à gauche).

absence d'égoïsme et la tendre admiration qui l'unissait à lui pour accepter une existence à ce point cloîtrée... »

Retiré de l'histoire du monde, Malraux sonde les figures de pierre de l'éternité, pour leur arracher le secret d'une création qui survit au temps de l'histoire.

1956 : l'affaire du canal de Suez, l'écrasement de l'insurrection de Budapest – qui révèle à Sartre le vrai visage du communisme soviétique – raniment un peu son intérêt pour le monde des hommes, sans pourtant réussir à le plonger à nouveau dans la mêlée. Le combattant de la guerre d'Espagne, le colonel des maquis du Périgord noir, le navigateur des grands remous de l'histoire a jeté l'ancre.

L'histoire va le reprendre.

En 1957, « la Métamorphose » est l'événement littéraire du dernier trimestre. Mais au cinéma, dans les actualités, ce sont les images sanglantes de la guerre d'Algérie qui s'imposent

En 1955-1956, le gouvernement a été contraint de reconnaître la souveraineté du Maroc et de la Tunisie. Cette guerre-ci, on la croit loin tout d'abord. Or, peu à peu, le spectre que le soulèvement de l'Algérie va faire irrémédiablement surgir en France, c'est celui de la guerre civile.

Avril 1958 : avec la saisie du livre *la Question*, dans lequel Henri Alleg, militant communiste engagé aux côtés du FLN, dénonce les tortures dont il a été l'objet, l'atmosphère est devenue irrespirable. L'armée commence à montrer les dents devant l'incapacité des gouvernements successifs à maîtriser la situation, et certains croient entendre comme des rumeurs de bottes... Le 17 et le 18 avril, *l'Express, le Monde et l'Humanité* publient un appel au président Coty signé à la fois par François Mauriac, Roger Martin du Gard, Jean-Paul Sartre et André Malraux lui-même.

Au journaliste Jean Daniel, à la même époque, Malraux confie : « En ce moment, vous le savez, on ne décolonise pas, on colmate, on réduit avec tout ce qui tombe sous la main, on fait la guerre, parce qu'on n'a rien prévu et on la continue parce que c'est une réponse à la ménagère qui réclame. Et alors faute d'idéologie, on se laisse aller, même aux tortures... Les tortures ça mène loin. Tout le système est en question.

En 1958, Malraux se fera un temps le théoricien inspiré de l'Algérie française, avant de se faire celui de l'Algérie algérienne. D'un autre côté, quelques mois auparavant il signe une protestation contre la saisie de *la Question* le livre d'Henri Alleg (ci-dessus). Mais il est membre du gouvernement quand celui-ci interdit à la radio-télévision les artistes, écrivains ou journalistes qui ont signé le Manifeste des 121. Pourtant, plus tard, ministre de la Culture, il défend la pièce de Jean Genet, *les Paravents,* qui provoque la fureur des nostalgiques de la colonisation.

Et même, disons le mot, la civilisation. L'État policier est à deux pas. Après c'est la nuit. »

La menace de cette nuit qui a enveloppé la France pendant l'Occupation, pour Malraux, un seul homme peut la dissiper : celui qui, « pendant quatre ans, sur le terrible sommeil de notre pays, quand la France était veuve d'elle-même, maintint son honneur comme un invincible songe ».

L'EXPRESS

André MALRAUX, Roger MARTIN DU GARD, François MAURIAC et Jean-Paul SARTRE écrivent au Président de la République

A la suite de la saisie du livre d'Henri Alleg : « La Question », la Ligue des Droits de l'Homme a pris l'initiative d'un mouvement national de protestation qu'André Malraux, Roger Martin du Gard, François Mauriac et Jean-Paul Sartre ont accepté d'animer en signant une « Adresse solennelle à M. le président de la République » dont voici le texte :

« Les soussignés :

— protestent contre la saisie de l'ouvrage d'Henri Alleg : « La Question » et contre toutes les saisies et atteintes à la liberté d'opinion et d'expression qui l'ont récemment précédée.

— demandent que la lumière soit faite, dans des conditions d'impartialité et de publicité absolues, sur les faits rapportés par Henri Alleg,

— somment les pouvoirs publics au nom de la Déclaration des droits de l'homme et du citoyen, de condamner sans équivoque l'usage de la torture, qui déshonore la cause qu'elle prétend servir,

— et appellent tous les Français à se joindre à eux en signant la présente « adresse personnelle » et en

l'envoyant à la Ligue des Droits de l'Homme, 27, rue Jean-Dolent, Paris (14°).

André MALRAUX,
Roger MARTIN DU GARD,
François MAURIAC,
Jean-Paul SARTRE. »

« L'Express » s'associe entièrement à l'initiative de la Ligue des Droits de l'Homme qui précise ainsi le caractère qu'elle entend lui donner :

« Il ne s'agit ni d'une opération politique, ni d'intérêts privés, quels qu'ils soient. Il s'agit de la liberté d'expression, de la justice et de la torture. »

Alors que la France et l'Algérie sont en plein tohu-bohu, au moment où le général Salan, délégué du président du Conseil Pfimlin, le 15 mai 1958, crie « Vive de Gaulle ! » au balcon du gouvernement général d'Alger, Malraux admire Venise et les toiles du Tintoret. Il attendait le retour du Général depuis si longtemps.

CHAPITRE VI
LE POUVOIR
ET LA MORT

« Le héros appartient à l'imaginaire. Son action ne vient pas des résultats qu'il atteint, mais des rêves qu'il incarne et qui lui préexistent. »

A Elisabeth de Miribel, en 1954, il avait prédit : « [Il reviendra] par un complot de l'armée d'Indochine qui croira se servir de lui, et s'en mordra les doigts. »

L'armée d'Algérie a appelé son sauveur, et le président Coty, sans force et sans police s'incline devant les faits : le 29 mai, il nomme de Gaulle président du Conseil : le pouvoir, infirme, était « à ramasser ».

Deux jours après son retour de Venise, Malraux est convoqué par de Gaulle : « Il faut refaire l'Etat, stabiliser la monnaie, en finir avec le colonialisme... » Vaste programme : « Il s'agit de savoir si les Français veulent refaire la France ou se coucher. Je ne ferai pas la France sans eux... » Pour Malraux, l'Histoire s'est remise en marche. Elle le guide à la droite du Général, place qu'il conservera jusqu'au départ du fondateur de la Ve République, en avril 1969. Le 1er juin, il est ministre délégué à la présidence du Conseil, plus particulièrement chargé de l'information, comme à la Libération. Le 27 juillet, sa fonction s'étend à « l'expansion et au rayonnement de la culture française », le mois de janvier 1959 le fera ministre d'Etat, enfin, six mois plus tard, on parlera officiellement du « ministre d'Etat, chargé des Affaires culturelles ». Malraux se bat avec vigueur, persuadé que « l'aventure n'existe plus qu'au niveau des gouvernements », même si son action reste pour tous quelque peu marginale...

Refusant toute carrière électorale, à la fois intellectuel, tribun, commis-voyageur du régime, il est celui qui, au conseil des ministres, occupe une place à part : le plus souvent silencieux, voire distrait, mais parfois génial, lyrique, passionné, irremplaçable.

Reste l'Algérie...

Les Antilles et ses rencontres avec Aimé Césaire, la Guyane qu'il convainc de voter pour la constitution gaullienne, l'Iran, le Japon, l'Inde n'effacent pas les combats. « Je suis content de vous revoir, lui dit Nehru, la dernière fois, c'était après votre

❝ Ses expressions étaient celles de la courtoisie ; et, quelquefois de l'humour. Alors l'œil rapetissait et s'allumait à la fois, et le lourd regard était remplacé pour une seconde par l'œil de l'éléphant Babar. ❞

Antimémoires

blessure en Espagne, vous sortiez de l'hôpital et je sortais de prison... Ainsi vous voilà ministre... » Malraux entend : « La phrase ne signifiait pas du tout : vous faites partie du gouvernement français. Un peu balzacienne, et surtout hindoue, elle signifiait : voilà votre dernière incarnation... » Incarnation difficile : il faut soutenir une guerre pas toujours très propre, s'affronter à d'anciens alliés. Avatar qui l'amène à affirmer que la torture n'existe plus, dans Alger la Blanche, avant de convenir que cette peste est revenue : « J'ai été ministre de l'Information pendant quatre mois et il n'y a pas eu de tortures. Elles ont réapparu depuis, c'est parfaitement vrai. »

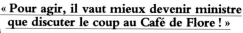

« Pour agir, il vaut mieux devenir ministre que discuter le coup au Café de Flore ! »

Propagandiste infatigable, il sillonne l'Amérique centrale et l'Amérique du Sud, en suivant les atermoiements de la politique métropolitaine.

L'Algérie lui est étrangère : son art ne lui paraît pas essentiel, et son peuple reste un mystère. Les exactions qu'il connaît renforcent son malaise ; Graham Greene l'attaque au nom de ses luttes passées contre l'horreur, et sa fille Florence le bouleverse en signant le « manifeste des 121 ». Il rompt pourtant avec elle...

Mais comme rien n'est jamais simple, il aide Albert Camus ou Jean Daniel à sauver des militants algériens, et on le retrouvera, en 1966, aux côtés de Jean-Louis Barrault et de Jean Genet, défendant *les Paravents* contre les amis de Michel Debré scandalisés par ce

En 1966, quand il rencontre Léopold Senghor, Malraux se souvient de sa visite à Nehru en 1958 : « Les chefs d'Etat dont j'ai noté les propos : Staline jadis, Nehru, Mao – et d'abord le général de Gaulle – sont nés du combat. J'ai aimé leur lutte contre les politiciens – surtout colonialistes. Même lorsqu'ils ont dû négocier (Nehru a beaucoup négocié) ils ont conservé, de leur combat pour l'indépendance ou la révolution, ce qui leur fait dédaigner l'intrigue – qu'ils n'ignorent pourtant pas. C'est ce combat qu'ils appellent l'Histoire », rapporte-t-il dans *la Corde et les Souris*.

brûlot « obscène » et « antifrançais »… Le putsch des généraux du mois d'avril 1961 le sauve d'une situation dans laquelle il s'enlisait. Violemment opposé au « quarteron de généraux en retraite », il soutient de Gaulle avec fougue et détermination en proposant, au beau milieu du conseil des ministres, de prendre la tête d'une unité de chars avant de demander l'exécution des insurgés. Place Beauveau, dans un ministère de l'Intérieur en proie au doute, il raffermit les énergies une nuit entière.

« Paris valait bien une nuit blanche, mon Général. »

L'OAS saura s'en souvenir lorsque ses militants feront exploser une bombe, le 7 février 1962, sur le rebord de sa fenêtre, à Boulogne, mutilant une petite voisine de cinq ans.

Le 18 mars 1962, les accords d'Evian mettent un point final à la guerre : « La France a choisi l'autodétermination parce qu'elle a choisi la justice, mais la justice ne consiste pas à abandonner les innocents, ni à trahir les fidèles, affirme-t-il peu de temps après, à Washington. Les accords d'Evian étaient difficiles, et votre presse a eu raison de les définir comme " l'acte héroïque le plus poignant d'une œuvre de longue haleine ". Leur application sera difficile aussi et il y faudra toute son énergie, comme toute celle de nos adversaires d'hier. » De Gaulle ayant fait la paix, Malraux peut redevenir l'emblème de la culture.

Avril 1961 : c'est, à Alger, la tentative de putsch des généraux Salan, Challe, Jouhaud et Zeller, à la suite du référendum consacrant l'autodétermination de l'Algérie. Malraux s'enferme avec quelques dizaines de volontaires au ministère de l'Intérieur, pour organiser la défense contre un parachutage supposé des troupes de l'OAS, qui ne viendront jamais…Mais l'échec du putsch laisse subsister en Algérie une situation tendue.

« Quand je dis que chaque homme ressent avec force la présence du destin, j'entends qu'il ressent – et presque toujours tragiquement, du moins à certains instants – l'indépendance du monde à son égard »

En ce début des années soixante, au milieu des durs combats menés contre les ultras de tous bords, Malraux doit aussi lutter contre le destin. Encore et toujours environné par la mort, cette vieille connaissance qui ne cesse de hanter ses textes, il doit l'affronter doublement, le 23 mai 1961, lorsqu'elle happe ses fils Gauthier et Vincent, le long d'une route, au retour d'un séjour à Port-Cros. Pentecôte cruelle, enterrement tragique, dans le petit cimetière de Charonne, près de leur mère, Josette Malraux-Clotis. A leur propos, celle-ci avait dit un jour : « Je suis effrayée quand je regarde les lignes de la main de mes enfants. Elles s'arrêtent, comme la mienne, au milieu de la paume. »

Les voyages et les activités multiples, alors, sont un tourbillon impuissant : Malraux est l'homme que la mort obsède, à tout moment, et qui l'observe, la décrit, la dévisage, dans l'art ou dans la vie. Les dépressions futures, les recours médicaux divers marqueront les phases critiques de cette longue intimité. Malgré les honneurs, la gloire et la renommée, il confie en 1961 : « Il faut soixante ans pour faire un homme, et après il n'est bon qu'à mourir. »

On peut aimer que le sens du mot art soit tenter de donner conscience à des hommes de la grandeur qu'ils ignorent en eux

« Ministre d'État chargé des Affaires culturelles »... Pour la première fois, la culture devient l'objet d'un ministère qui reste à créer... Il s'agit, dit le décret de nomination, de « rendre accessibles les œuvres capitales de l'humanité, et d'abord de la France, au plus grand

L'OAS ne peut compter sur le peuple. A Paris, en province, à l'appel de la majorité des partis, on manifeste contre le terrorisme.

Pendant la guerre, Josette Clotis a donné deux enfants à Malraux, Vincent (à gauche) et Pierre-Gauthier (à droite). A la Libération, Malraux divorce de Clara pour se remarier avec Madeleine, la veuve de son demi-frère Roland, qui laisse un fils, Alain.

Les trois garçons sont élevés ensemble, comme des frères, dans la maison de Boulogne, jusqu'au tragique accident de 1961.

nombre possible de Français, assurer la plus vaste audience au patrimoine culturel et favoriser la création des œuvres d'art et de l'esprit qui l'enrichissent ». Mais, malgré bonne volonté et imagination, comment mener à bien un tel projet lorsqu'on vous octroie 0,43 % du budget de l'Etat ? Il faut perpétuellement composer, compenser en représentation et en assurance les carences pécuniaires. Il faut aussi utiliser au plus juste ces 0,43 % qui font de leur ministre un smicard budgétaire... A Picasso que l'on avait oublié d'inviter à l'une de ses expositions, et qui lui câble : « Croyez-vous que je sois mort ? » Malraux répond : « Croyez-vous que je sois ministre ? », ce qui en dit long sur une certaine désillusion.

Malgré tout, le passionné d'art lance un grand projet : il veut rassembler, comptabiliser les œuvres pour les faire connaître, les arracher au temps en les gravant dans les mémoires humaines. Il crée le service des fouilles, ordonne l'inventaire des monuments et richesses artistiques de la France, trouve un peu d'argent pour restaurer quelques chefs-d'œuvre en péril, décrète que certains secteurs des grandes villes seront sauvegardés. Mais budget oblige : s'il se bat pour le Marais, il ne sauve ni les Halles, ni Montparnasse, ni Belleville...

66 Dans mon esprit – dans l'esprit de la plupart des intellectuels –, il est des idées dont la rencontre est aussi présente que celle des êtres. J'emploie à dessein le mot rencontre, parce que la réflexion s'élaborera plus tard, se développera plus tard. Pourtant, nous pressentons aussitôt la fécondité de ces idées, que l'on appelait jadis inspirations. Et j'ai rencontré, en Egypte, celles qui, des années durant, ont ordonné ma réflexion sur l'art. 99

Antimémoires.

« C'est un homme sans frontières et qui voyage beaucoup, même en conseil des ministres », note de Gaulle, à propos de Malraux

Conscient de son image comme des limites de son rôle au conseil des ministres, le « grand homme de la culture » n'est pas avare de coups d'éclat brillants. Les manifestations de prestige qu'il organise sont les témoins de cette volonté éclectique de diffuser les trésors de l'histoire artistique mondiale : et l'enthousiasme du public, lors des grandes expositions sur le Siècle d'or espagnol, les Trésors de Tout Ankh Amon, les merveilles de l'art iranien, les tableaux du XVIe siècle européen ou la Rétrospective Picasso, atteste que l'art, sous son impulsion vigoureuse, a retrouvé une audience nouvelle.

Comme de Gaulle, Malraux a une certaine idée de la France et du rôle qu'elle doit tenir dans le monde.

Ni américaine, ni soviétique, elle doit conquérir sa vraie place dans le concert des nations. La notion de « rayonnement français » dont sa première charge rendait compte se trouve magnifiée par celui de son ministre.

A Washington, il entretient le président Kennedy de la force de frappe française et des échanges culturels possibles. Moins d'un an plus tard, le 9 janvier 1963, il accompagne *la Joconde* outre-Atlantique : « La

André Malraux dans son rôle le plus officiel de représentant de la culture française, face au couple le plus célèbre de ces années 60, les Kennedy.

possession des chefs-d'œuvre impose aujourd'hui de grands devoirs, chacun le sait. Vous avez bien voulu, monsieur le président, parler d'un " prêt historique ", pensant peut-être aux sentiments dont il témoigne. Il est historique aussi en un autre sens, qui vous fait grand honneur. Lorsque, à mon retour, quelques esprits chagrins me demanderont, à la tribune : " Pourquoi avoir prêté Mona Lisa aux Etats-Unis ? " je répondrai : " Parce qu'aucune autre nation ne l'aurait reçue comme eux. " »

L'auteur des « Conquérants » devant « l'empereur de bronze »

En octobre suivant, au Québec, il plaide pour une civilisation des héritiers de Rome et d'Athènes face à celles de la Russie et de l'Amérique. En août 1965, enfin, il est en Chine, porteur d'un message de De Gaulle pour le président Mao. L'auteur des *Conquérants* et de *la Condition humaine* rencontrant le vainqueur de la Révolution chinoise mandaté par l'homme du 18 juin 1940, l'image est trop belle pour ne pas devenir mythique. Malraux lui-même s'emploie, dans les

❝ Mao, fort de ses millions de fidèles, du respect qui entoure son passé, croit que l'Etat peut devenir le moyen permanent de la révolution. Avec le même calme tour à tour épique et souriant qu'il a cru à la victoire du communisme en Chine, aux pires jours de la Longue Marche. ❞

Antimémoires

Dans les journaux satiriques, on caricature le ministre du Général sous l'apparence de James Bond... Malraux, le 007 du gaullisme.

Antimémoires, à en faire un véritable objet littéraire, au point qu'il est alors légitime de se demander « si, à force d'être " vécue ", la légende [ne devient pas] vérité »... Et lorsqu'un secrétaire de l'ambassade de France à Pékin lui donne la sténographie de l'entretien qu'il avait eu avec le Grand Timonier, l'écrivain lit, approuve, puis ajoute : « Je compléterai »...

A son retour, Malraux, événement exceptionnel, prépare une véritable communication au conseil des ministres. Sortant de sa torpeur habituelle, le voyageur génial évoque longuement la Chine et son « empereur de bronze »... : Chen-Yi, le maréchal ministre des Affaires étrangères, n'est qu'un vague ensemble de conventions, un disque qui nasille la voix de Zhu Enlai. Zhu Enlai, le Premier ministre, est devenu un disque, et a déçu Malraux qui l'imaginait encore en Kyo, son personnage de *la Condition humaine*. Enfin, Mao, l'Histoire faite homme, « seul avec les masses », se dresse face au soleil couchant : « l'essai du disque, le disque, l'histoire », raccourci saisissant et bien peu conforme aux péroraisons somnolentes du mercredi matin...

❝ Dans ce pays où l'on ne parle que de l'avenir et de la fraternité, comme sa voix semble solitaire, en face de l'avenir ! Je pense à une image puérile de mon premier livre d'histoire : Charlemagne regardant au loin les premiers Normands remonter le Rhin... ❞

Antimémoires

« Une nuit, le poète [Mallarmé] écoute les chats qui conversent dans la gouttière. Un chat noir demande à son chat : – Et toi, que fais-tu ? Le chat du poète répond : – Je fais semblant d'être le chat de Mallarmé »

Et puis il y a ces autres rencontres, avec les morts illustres que Malraux célèbre de sa grande voix fracassée, ces *Oraisons funèbres* qui restent dans toutes les mémoires, celles de Jean Moulin, de Le Corbusier, ou de Georges Braque. C'était l'époque ou un ministre de la Culture savait écrire, parler, émouvoir, calquant ses périodes sur les sonneries funèbres officielles : la Vᵉ République avait trouvé son Bossuet.

Mais avait-elle pour autant un bon gestionnaire ? On a beaucoup écrit sur le rôle de ministre que Malraux a joué avec constance, durant plus de dix ans. Il en reste au moins la couleur de Paris et divers édifices parsemés dans les villes françaises. Soucieux de rendre à la capitale la blancheur de ses monuments, il mène à bien le projet de Pierre Sudreau, haut fonctionnaire de la République précédente, et efface des murs parisiens leur épaisse couche de crasse.

« Pour le prix de 25 kilomètres d'autoroute, la France peut, dans les dix années qui viendront, redevenir, grâce aux maisons de la culture, le premier pays culturel du monde »

Le grand projet du ministre, celui qu'il caresse depuis longtemps, qu'il affine au gré de ses voyages, est de donner à tous le privilège de quelques Parisiens : il s'agit de rassembler ces « formes qui ont été plus fortes que la mort », et de les placer dans des lieux-clés, répartis sur la surface du territoire national, de les faire connaître au plus grand nombre par des expositions itinérantes ou des manifestations particulières. La culture doit vivre aussi, grâce au théâtre, au cinéma, à la danse, à la télévision que ces

Malraux le tribun : il sait faire vibrer les cœurs, galvaniser les militants. L'homme des éloges funèbres a fait de Jean Moulin (à gauche) le symbole de la France combattante, l'homme des discours politiques donne son emphase au gaullisme. « Aujourd'hui, jeunesse, puisses-tu penser à cet homme comme tu aurais approché tes mains de sa pauvre face informe du dernier jour, de ses lèvres qui n'avaient pas parlé : ce jour-là, elle était le visage de la France. » Discours prononcé à l'occasion du transfert des cendres de Jean Moulin

Au Palais des Sports, le 15 décembre 1965, avant le second tour des présidentielles qui oppose le Général et François Mitterrand, la voix de Malraux s'élève pour rappeler au second les hauts faits du premier. « Le général de Gaulle a donc rétabli la République, (...) réussi une décolonisation qui a rendu à la France son visage historique ; résolu le terrible problème algérien, apporté la paix en menant la seule vraie lutte contre la seule droite meurtrière, celle du putsch d'Alger et du Petit-Clamart. Vous, qu'avez-vous fait ? Vous avez rêvé la gauche. »

André Malraux a pris en charge le premier ministère des Affaires culturelles dont soit dotée la France, regroupant les arts et les lettres, l'architecture, les archives et le cinéma. « L'Etat n'est pas fait pour diriger l'art, mais pour le servir ». Sans relâche, jour après jour, Malraux applique ce principe : avec le peintre Chagall, auquel il offre un nouveau moyen d'expression en lui confiant la décoration du plafond de l'Opéra ; avec Picasso, dont il a voulu la grande rétrospective de 1966 et auquel, en 1974, il consacre la *Tête d'obsidienne*. Au pied du grand escalier du Louvre, celui qui mène à la Victoire de Samothrace, c'est le philosophe de l'art, tout autant que le ministre, qui fait entendre sa voix.

maisons auront pour charge d'accueillir. Bourges, en
1964, puis Amiens, Grenoble, Reims, Rennes, Thonon,
Caen, Ménilmontant, Firminy, Saint-Etienne
attestent des ces années d'action culturelle.

Mais en mai 1968, la France explose rue
Gay-Lussac. L'Odéon et la Sorbonne entrent
en effervescence : de bonnes âmes se lèvent
pour dénoncer dans les maisons de la culture le
creuset du gauchisme et du marxisme virulents.
Alors, pendant cet été de la reconquête, on
limoge : on commence l'œuvre de démolition.
L'action politique et la « défense de la République »
prennent le pas sur l'ouverture, le défilé des
Champs-Elysées sur la défense des *Paravents*... Or
Malraux, qu'aucun affolement ne touche en cette période
troublée, ne peut pas haïr Mai 68. Il se sait combattre
« une immense illusion lyrique » : « L'imagination au
pouvoir, ça ne veut rien dire. Ce n'est pas
l'imagination qui prend le pouvoir, ce sont des
forces organisées. La politique n'est pas ce qu'on
désire, c'est ce qu'on fait, déclare-t-il six mois
plus tard au *New York Times*. Ce que les jeunes
attendaient de nous, avant tout, c'était un espoir,
au fond des malaises qu'ils ressentent plus que
nous encore, et qui est au fond de nature
religieuse, parce que nous sommes dans une
situation de rupture entre l'homme et le
cosmos, entre l'homme et le monde. »

André Malraux n'est pas un politique
ordinaire... Profondément attaché à la personne
du général de Gaulle, il apparaît dans cette
deuxième carrière politique bien plus comme le
compagnon des coups durs que comme le
« godillot » benêt du grand chef d'Etat. En
1960 et en 1961, pendant les événements
d'Algérie, en 1962 et en 1965, face aux
oppositions farouches, en 1967, devant
la menace de la gauche, il est à la droite
du père. Il le suivra dans sa retraite, après
l'échec du référendum de 1969 : jamais
l'auteur des *Antimémoires* n'aurait
« l'indécence » de devenir le féal d'un Œdipe
« député du Cantal ». C'est de Georges
Pompidou qu'il s'agit...

« L'éléphant est le plus sage de tous les animaux, le seul qui se souvienne des ses vies antérieures ; aussi se tient-il longtemps tranquille, méditant à leur sujet »

Au soir de sa vie, sa mémoire l'attend. Garine avait prévenu les lecteurs attentifs : « Quels livres valent la peine d'être écrits, hormis les Mémoires ? » demandait-il dans *les Conquérants*, en 1928. Les *Antimémoires* paraissent en 1967, mêlant le voyage en Orient, les romans précédents, les souvenirs intimes et politiques, et les réflexions sur les sujets qui depuis toujours hantent Malraux : la mort, la fatalité, l'histoire, l'action. Deux mois avant la parution du livre, le ministre a confié à son beau-fils Alain : « Je leur montrerai que je suis le plus grand écrivain de ce siècle. » A la frontière de la fiction et de la réalité autobiographique, entre le document et le rêve du document, les *Antimémoires* se veulent l'œuvre solennelle où la condition humaine se réfracte dans une conscience individuelle, où le destin du monde, tendu sur le fil d'une mémoire qui joue avec le temps, se confond avec celui d'un homme. « La condition humaine, c'est la condition de créature, qui impose le destin de l'homme comme la maladie mortelle impose le destin de l'individu. Détruire cette condition, c'est détruire la vie : tuer. »

A Verrières, Malraux organise un havre de bonheur fragile

Cette même année 1967, Malraux retrouve celle à laquelle il avait dit, trente-trois ans auparavant : « Je finirai ma vie avec vous. » Le destin ne le dément pas, et Louise de Vilmorin devient sa compagne rue Montpensier, puis sous les murs lambrissés du château

Verrières-le-Buisson, c'est la dernière halte de Malraux, celle où il retrouve, en 1967, son parcours accompli, la « dame intimidante » qui l'avait subjugué en 1933... Il venait de publier *la Condition humaine*. Environné de son musée imaginaire, Malraux se repose entre deux conseils des ministres. « Nous sommes Chateaubriand et Mme Récamier », dit Louise de Vilmorin.

de Verrières-le-Buisson, entre les Fautrier, la barque de Braque, la cheminée de marbre rose et les deux chats Lustrée et Fourrure, qui les surveillent en silence.

Le 26 décembre 1969, cette halte sereine se trouve brisée par un cœur trop fragile. Louise a laissé un message : « Comme j'ai décidé d'être enterrée dans notre parc, je trouve qu'une tombe ferait triste. Alors j'ai eu l'idée d'un banc de pierre avec, peut-être, une table en bronze sur laquelle les enfants pourront venir goûter. Une table de bronze, légère, légère, ne pesant pas plus qu'une bulle sur l'herbe de la prairie dans laquelle mon âme respirera dans le chêne. Sur le banc, on inscrira ma devise : *Au secours !* en caractères calqués sur mon écriture dessinée ; puis on gravera mon trèfle à quatre feuilles. » C'est donc dans son parc, sous un cerisier, que *Madame de...* repose. Et Malraux retrouve la fatalité.

« Voici la fin du temps de cet homme, et du mien »

Cette fois, elle s'attaque à l'Histoire. Le lendemain du 9 novembre 1970, Malraux ne veut pas croire l'arrêt du destin qu'un messager lui annonce : de Gaulle est mort.

Le visage décomposé par la douleur, le compagnon de la Libération se rend à Colombey pour assister aux obsèques du « chevalier ». « Il y avait seulement la famille, l'ordre, la paroisse. Mais il aurait fallu que la dépouille du Général ne soit pas dans un cercueil, mais déposée, comme celle d'un chevalier, sur des rondins de bois. »

« Nous autres, chrysalides, nous savons maintenant que nous sommes provisoires »

Au soir de sa vie, Malraux a gardé toute sa vivacité intellectuelle et sa prodigieuse mémoire. Parmi les derniers qui l'aient visité à Verrières (« Verrières, c'était un peu le palais d'Ephèse. Couleur de sable et volets blancs »), Philippe et François de

Saint-Chéron nous ont laissé le portrait d'un Malraux pacifié, évoquant pour ses auditeurs éblouis le roman des siècles et des personnages qui l'ont accompagné : en une conversation de quelques heures, s'entremêlent le Valéry de *Monsieur Teste* et le récit d'une visite à l'Empereur du Japon, Mao et Charlot, le Christ du portail de Chartres et saint François d'Assises, Renan et Gandhi, Jeanne d'Arc et Xenakis.

« Il semble calme, attentif, et ne ressemble guère à l'homme que la télévision a rendu familier à tant de Français, mais son regard vibrionnant ne se croise pas sans peine. »

Caressant pensivement une divinité siamoise de bronze aux yeux orange, Malraux raconte l'histoire de la corde et de la souris, qui figurera en exergue de la deuxième partie du *Miroir des limbes*

« L'empereur avait décidé que le plus grand peintre serait pendu. Alors on va le chercher, et on le pend en le laissant reposer sur ses doigts de pied, de façon que ce soit la fatigue qui le pende. Et il s'est mis à dessiner avec son doigt de pied des souris dans la terre, et elles étaient très belles. Alors les vraies souris ont grimpé sur lui et sont montées jusqu'à la corde qu'elles ont coupée.

« Comme par la magie d'un mythe où l'art prolonge la vie, le temps s'est arrêté.

« Un frémissement parcourt l'immense cèdre du Liban qui, dans le parc, étend ses branches jusqu'à terre.»

Malraux se tourne vers Lustrée, la noire :
« Que se passerait-il si tu découvrais – un jour, un

C'est un Malraux terrassé qui, le 11 novembre 1970, assiste avec Romain Gary, compagnon de la Libération, aux obsèques du général de Gaulle à Colombey-les-deux-Eglises. Les deux hommes ne s'étaient plus revus depuis le 11 décembre 1969, où un entretien de quarante minutes les avait réunis.

❝ Maintenant, le dernier grand homme qui ait hanté la France est seul avec elle : agonie, transfiguration ou chimère. La nuit tombe – la nuit qui ne connaît pas l'Histoire. ❞

jour – que les chats doivent mourir ?

« Lustrée s'étire, plonge ses yeux d'or dans ceux de son maître, s'en va.

« Les chats ne croient pas aux histoires chinoises. »

« Et qui sait ce que nous trouverons après la mort ? » Malraux aimait répéter ces paroles prononcées par son père juste avant son suicide

Ce matin blafard de novembre 1976, mois des Trépassés, une ambulance blanche se glisse discrètement dans le parc du château de Verrières. Demain 24 novembre, tous les journaux titreront : « Malraux est mort ».

Hospitalisé depuis quelques jours à l'hôpital de Créteil, André Malraux, après avoir sombré dans le coma, s'est éteint à 9 h 36. C'est son corps que l'ambulance ramène.

Depuis 1970, bien des grandes figures ont disparu : Nasser, de Gaulle, Jiang Jieshi, Franco, Zhu Enlai, Mao Zedong, mais aussi Heidegger, Mishima, Montherlant, Picasso et Saint-John Perse. Le véritable tournant d'un siècle s'amorce quand meurent les vieux guerriers qui, nés avec lui, ont façonné son visage. « Il y a trois survivants : Aragon, Sartre et moi », disait Malraux il y a quelques jours à Sophie de Vilmorin.

Bien sûr, on a pensé l'ensevelir dans le caveau du cimetière de Charonne où dorment déjà Josette Clotis, la compagne des années de guerre, et Gauthier et Vincent, les deux fils morts dans l'accident de voiture, en 1961. Mais Clara et Madeleine n'auraient sans doute pas apprécié.

La dépouille est exposée dans le « salon bleu » paré de glaïeuls et de cyclamens, à côté duquel l'écrivain travaillait à son dernier ouvrage : *l'Homme précaire et la littérature*. Ici, il est environné de tous les objets énigmatiques qu'il aimait, et qui aujourd'hui semblent poser sur lui leur regard de pierre : la tête gréco-bouddhiste qu'il a fait scier en deux pour que les deux profils s'étonnent de leur soudain face-à-face, le grand bodhisattva qui est un des deux plus rares du monde, avec celui du musée Guimet, Haniwa, l'oiseau

japonais en terre-cuite, « la seule œuvre d'art au monde qui n'ait pas d'angles », aimait-il à dire. De l'autre côté, dans le bureau, ses tableaux préférés, *l'Oiseau noir* de Braque et la mystérieuse barque bleue abandonnée sur une plage tragique sous un ciel d'encre, se chargent d'un message muet.

Fourrure et Lustrée, les deux chats seigneurs de la demeure, ont senti la mort. A un moment, l'un d'eux fait irruption dans le salon, le poil hérissé. « Le chat a marqué un temps d'arrêt au bas du lit, raconte un témoin, et, d'un seul coup, a sauté sur André, faisant ses griffes sur son gilet, mordillant les petits boutons en os, puis lui léchant les mains de sa langue râpeuse. »

Le lendemain, le cortège monte lentement à travers les bois jaunissants vers le petit cimetière de Verrières. Seuls les amis ont été prévenus. Parmi les gerbes qui s'amoncellent, l'une rappelle le nom du dernier combat que ce Don Quichotte de soixante-quinze ans, indifférent aux sarcasmes, avait entrepris pour secouer le monde de sa torpeur : Bangladesh. Chacun, avant que le cercueil de chêne clair ne soit descendu dans le caveau, y jette une rose. Mais ni bénédiction, ni prière, ni croix. A l'un de ses interlocuteurs religieux privilégiés, le père Pierre Bockel, qui prie silencieusement, Malraux avait dit un jour, mi-sérieux mi-ironique : « Je suis agnostique : il faut bien que je sois quelque chose, car n'oubliez pas que je suis très intelligent. mais vous savez mieux que moi que nul n'échappe à Dieu. »

A un moment, raconte Olivier Germain Thomas, un oiseau jaillit de la forêt. « Il virevolta au-dessus des dos courbés, chanta immobile, déploya, en guise de jeu, des ailes multicolores, s'éloigna, revint, et fit dire doucement au ciel gris qu'il ne fallait jamais se fier aux apparences. »

Sólo una hora después de la muerte empieza a verse el alma (ce n'est qu'une heure après la mort qu'on commence à voir l'âme), murmurait la vieille paysanne de *l'Espoir*.

A Verrières, la nuit blanche est tombée sur la terre noire.

Telles des ombres silencieuses, les chats traversent l'œuvre de Malraux et l'accompagnent jusqu'à la cérémonie funèbre de la cour du Louvre où les projecteurs étaient braqués sur ce chat saïte. Hospitalisé à la Salpêtrière, ce sont des rêves de chats qui peuplent sa demi-inconscience : « Quel Japonais m'a dit : " Si vous regardiez les fleurs de la même façon que vous regardez les chats, vous comprendriez honorablement la vie? " Mon chat se précipitait à travers le salon, s'arrêtait, pattes tendues, se léchait minutieusement : il avait changé d'avis. Rêves de chats, destins de plantes... »

TÉMOIGNAGES
ET DOCUMENTS

Quand la vie croise le roman,
quand le lyrisme rencontre la politique,
quand la réflexion se confronte à l'art.

Le roman de l'aventure khmère

Claude Vannec, un jeune archéologue, et Perken, un aventurier allemand, sont à la recherche des bas-reliefs précieux des temples disparus, au milieu de la forêt vierge, le long de l'ancienne voie royale siamoise. Obligés d'abandonner leur route et entrés en territoire insoumis, ils se dirigent vers les Stiengs, chez lesquels s'est réfugié naguère un des subordonnés de Perken, Grabot, qui passe pour être devenu leur chef.

Depuis des jours, la forêt.

Depuis des jours, les campements près des villages nés d'elle comme leurs bouddhas de bois, comme le chaume de palmes de leurs huttes sorties du sol mou en monstreux insectes ; la décomposition de l'esprit dans cette lumière d'aquarium, d'une épaisseur d'eau. Ils avaient rencontré déjà des petits monuments écrasés, aux pierres si serrées par les racines qui les fixaient au sol comme des pattes, qu'ils ne semblaient plus avoir été élevés par des hommes mais par des êtres disparus, habitués à cette vie sans horizon, à ces ténèbres marines. Décomposée par les siècles, la Voie Royale ne montrait sa présence que par ces masses minérales pourries, avec les yeux lumineux de quelque crapaud immobile dans un angle des pierres. Ils auraient dû être

Jusqu'au Japon, un succès mondial (édition de 1930).

arrivés depuis trois heures... La forêt et la chaleur étaient pourtant plus fortes que l'inquiétude : Claude sombrait comme dans une maladie dans cette fermentation où les formes se gonflaient, s'allongeaient, pourrissaient hors du monde dans lequel l'homme compte, qui le séparait de lui-même avec la force angoissante de l'obscurité. Et partout, les insectes.

Les autres animaux, furtifs et le plus souvent invisibles, venaient d'un autre univers, où les feuilles des arbres ne semblent pas collées par l'air même aux feuilles gluantes sur lesquelles on marchait : de l'univers qui apparaissait parfois dans les furieuses trouées du soleil, dans le remous d'atomes scintillants où passaient, rapides, des ombres d'oiseaux. Les insectes, eux, vivaient de la forêt, depuis les boules noires qu'écrasaient les sabots des bœufs attelés aux charrettes et les fourmis qui gravissaient en tremblotant les troncs poreux, jusqu'aux araignées retenues par leurs pattes de sauterelles au centre de toiles de quatre mètres, dont les fils recueillaient le jour qui traînait encore auprès du sol, et apparaissaient de loin sur la confusion des formes, phosphorescentes et géométriques, dans une immobilité d'éternité. Sur les mouvements de mollusque de la brousse, elles fixaient des figures qu'une trouble analogie reliait aux autres insectes, aux cancrelats, aux mouches, aux bêtes sans nom dont la tête sortait de la carapace au ras des mousses, à l'écœurante virulence d'une vie de microscope. Les termitières hautes et blanchâtres, sur lesquelles les termites ne se voyaient jamais, élevaient dans la pénombre leurs pics de planètes abandonnées, comme si elles eussent trouvé naissance dans la corruption de l'air, dans l'odeur de champignon, dans la présence des minuscules sangsues agglutinées sous les feuilles comme des œufs de mouches. Depuis six jours Claude avait renoncé à séparer les êtres des formes, la vie qui bouge de la vie qui suinte ; une puissance inconnue liait aux arbres les fongosités, faisait grouiller toutes ces choses provisoires sur un sol semblable à l'écume des marais, dans ces bois fumants de commencement du monde. Quel acte humain, ici, avait un sens ? Quelle volonté conservait sa force ? Tout se ramifiait, s'amollissait, s'efforçait de s'accorder à ce monde ignoble et attirant à la fois comme le regard des idiots, et qui attaquait les nerfs avec la même puissance abjecte que ces araignées suspendues entre les branches, dont il avait eu d'abord tant de peine à détourner les yeux.

Cette dissidence à demi-sauvage était aussi douteuse, aussi menaçante que la forêt. Au village du troc, plus pourri que les temples, les derniers Cambodgiens, terrorisés, avaient éludé toutes les questions sur les villages, sur les chefs, sur Grabot... (Il semblait pourtant qu'ils eussent entendu parler naguère de Perken.) Plus rien de la nonchalance voluptueuse du Laos et du Bas-Cambodge : la sauvagerie avec son odeur de viande. Enfin, contre les deux bouteilles d'alcool européen, les messagers avaient annoncé que le passage et un guide étaient accordés. Restait à savoir par qui ; mais, depuis qu'ils montaient vers le centre stieng, une plus grave inquiétude pesait sur eux. Perken venait d'arrêter Claude, d'un coup de poing sur le bras.

A cinq centimètres de son pied droit, deux morceaux de bambou extrêmement affilés sortaient, en pointes de fourche. Perken tendit un doigt.

— Quoi encore ?

Il sifflait entre ses dents, sans répondre ; il lança en avant sa cigarette. Après une courbe très rouge dans l'air verdâtre épaissi par la fin du jour, elle atteignit l'humus : à côté, deux nouvelles pointes.

— Qu'est-ce que c'est que ces trucs-là ?

— Les lancettes de guerre.

Claude regardait le guide moï qui les attendait, appuyé sur son arbalète.

— Il n'aurait pas pu nous prévenir, celui-là ?

— Ça va mal...

Ils reprirent leur marche, traînant les pieds au ras du sol, derrière la tache jaunâtre du guide dont Claude ne voyait plus que le pagne d'une saleté sanglante : ni tout à fait animal, ni tout à fait humain. Chaque fois que le pied, au lieu de râcler le sol, devait se lever — souches, troncs — les muscles de la jambe se contractaient, dans la crainte d'un pas trop rapide ; relié au danger par eux, Claude tombait à une vie d'aveugle. A ses yeux presque inutiles, quelque effort qu'il fît, se substituait son odorat que frappaient des bouffées d'air chaud imprégnées d'humus : comment voir les lancettes, si les feuilles pourries envahissaient le sentier ? Il tentait d'échapper à cette marche prudente, mais ses mollets contractés étaient plus forts que son esprit.

— Et nos bœufs, Perken ? S'il en tombe un...

— Ils sentent les pointes beaucoup mieux que nous.

Monter dans les charrettes, qui suivaient sous la seule direction du boy ? C'eût été par trop se priver de défense...

Abandonnés par leurs guides, éreintés par tous les obstacles, ils voient que Grabot est devenu esclave, attaché à une meule, les yeux crevés. Rien d'autre à faire que de marcher quand même contre les Moïs, tendu vers l'action...

L'épouvante de l'être écrasé de solitude saisit Claude au creux de l'estomac, au défaut des hanches, l'épouvante de l'homme abandonné parmi des fous qui vont bouger. Il n'osa pas parler, mais toucha Perken à l'épaule ; celui-ci l'écarta sans le regarder, avança de deux pas et s'arrêta en plein encadrement de l'ouverture — à portée de flèche.

— Attention !

Perken n'entendait plus. Ainsi, cette vie déjà longue allait se terminer ici dans une flaque de sang chaud, ou dans cette lèpre du courage qui avait décomposé Grabot, comme si rien, dans aucun domaine, n'eût pu échapper à la forêt. Il le regarda : le cou sur la poitrine, le visage caché par les cheveux, l'aveugle marchait lentement en rond — comme autour de la meule — une épaule en avant, retourné à son esclavage. Perken était harcelé par son propre visage, tel qu'il serait peut-être demain, les paupières à jamais abaissées sur les yeux... Pourtant on pouvait combattre. Tuer, enfin ! Cette forêt n'était pas qu'un foisonnement implacable, mais des arbres, des buissons derrière lesquels on pouvait tirer — mourir de faim. La folie lancinante de la faim, qu'il connaissait, n'était rien auprès des meules endormies avec leurs harnais d'esclaves dans le village ; dans la forêt, on pouvait se tuer en paix.

Toute pensée précise était anéantie par ces têtes aux aguets : l'irréductible humiliation de l'homme traqué par sa destinée éclatait. La lutte contre la déchéance se déchaînait en lui ainsi qu'une fureur sexuelle, exaspérée par ce Grabot qui continuait à tourner dans la case comme autour du cadavre de son courage. Une idée idiote le secouait : les peines de l'enfer choisies pour l'orgueil – les membres rompus et retournés, la tête retombée sur le dos comme un sac, le pieu du corps à jamais planté en terre, – et le désir forcené que tout cela existât pour qu'un homme, enfin, pût cracher à la face de la torture, en toute conscience et en toute volonté, même en hurlant. Il éprouvait si furieusement l'exaltation de jouer plus que sa mort, elle devenait à tel point sa revanche contre l'univers, sa libération de l'état humain, qu'il se senti lutter contre une folie fascinante, une sorte d'illumination. « Aucun homme ne tient contre la torture » traversa son esprit, mais sans force, comme une phrase, lié à un cliquètement inexplicable : ses dents qui claquaient. Il sauta sur la claie, hésita encore une seconde, tomba, se redressa, un bras en l'air, tenant son revolver par le canon, comme une rançon.

« Fou ? » Claude, la respiration coupée, le suivait du canon de son arme : Perken marchait vers les Moïs, pas à pas, tout le corps raidi. Le soleil abaissé lançait sur la clairière de longues ombres diagonales, avec un dernier reflet sur la crosse du revolver. Perken ne voyait plus rien. Son pied rencontra un buisson bas ; il fit un geste de la main, comme s'il eût pu l'écarter (il ne suivait pas le sentier), continua d'avancer, tomba sur un genou, se releva, toujours aussi raide, sans avoir lâché le revolver. La piqûre des plantes fut si aiguë qu'il vit, une seconde, ce qui était devant lui : le chef inclinait la main vers la terre, opiniâtrement. Poser le revolver. Il était là-haut dans sa main. Enfin il parvint à plier le bras, prit l'arme de l'autre main, comme pour la détacher. Ce n'était plus de l'hésitation : il ne pouvait plus bouger. Enfin elle s'abaissa d'un coup et s'ouvrit, tous les doigts tendus : le revolver tomba.

Quelques pas encore. Jamais il n'avait marché ainsi, sans plier les genoux. La force qui le soulevait connaissait mal ses os : sans la volonté qui le jetait vers la torture avec cette puissance d'animal fasciné, il eût cru dériver. Chaque pas des jambes raidies retentissait dans ses reins et son cou ; chaque herbe arrachée par ses pieds qu'il ne voyait pas l'accrochait au sol, renforçait la résistance de son corps qui retombait d'une jambe sur l'autre avec une vibration que coupait le pas suivant. A mesure qu'il s'approchait les Moïs inclinaient vers lui leurs lances qui luisaient vaguement dans la lumière mourante ; il pensa soudain que sans doute ils n'aveuglaient pas seulement leurs esclaves, mais les châtraient.

Perken réussit à obtenir un échange, mais, blessé au genou, il sait que les pas de son retour sont ceux de son agonie.
La Voie royale, 1930.

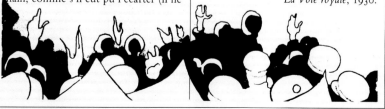

Shanghaï, Tchen et la révolution

Dans le Shanghaï tumultueux et violent de mars 1927, les révolutionnaires organisent le soulèvement qui causera leur perte. Le rideau se lève sur Tchen, le terroriste, l'individualiste, l'ange.

L e 1er décembre 1933, un prix Goncourt obtenu à l'unanimité salue la naissance d'une nouvelle écriture, la fiction-reportage.

21 mars 1927, minuit et demie

Tchen tenterait-il de lever la moustiquaire ? Frapperait-il au travers ? L'angoisse lui tordait l'estomac ; il connaissait sa propre fermeté, mais n'était capable en cet instant que d'y songer avec hébétude, fasciné par ce tas de mousseline blanche qui tombait du plafond sur un corps moins visible qu'une ombre, et d'où sortait seulement ce pied à demi incliné par le sommeil, vivant quand même – de la chair d'homme. La seule lumière venait du building voisin : un grand rectangle d'électricité pâle, coupé par les barreaux de la fenêtre dont l'un

ANDRÉ MALRAUX

LA CONDITI
HUMAINE

nrf

Édition originale

Librairie Gallimard

rayait le lit juste au-dessous du pied comme pour en accentuer le volume et la vie. Quatre ou cinq klaxons grincèrent à la fois. Découvert ? Combattre, combattre des ennemis qui se défendent, des ennemis éveillés !

La vague de vacarme retomba : quelque embarras de voitures (il y avait encore des embarras de voiture, là-bas, dans le monde des hommes...). Il se retrouva en face de la tache molle de la mousseline et du rectangle de lumière, immobiles dans cette nuit où le temps n'existait plus.

Il se répétait que cet homme devait mourir. Bêtement : car il savait qu'il le tuerait. Pris ou non, exécuté ou non, peu importait. Rien n'existait que ce pied, cet homme qu'il devait frapper sans qu'il se défendît, – car, s'il se défendait, il appellerait.

Les paupières battantes, Tchen découvrait en lui, jusqu'à la nausée, non le combattant qu'il attendait, mais un sacrificateur. Et pas seulement aux dieux qu'il avait choisis : sous son sacrifice à la révolution grouillait un monde de profondeurs auprès de quoi cette nuit écrasée d'angoisse n'était que clarté. « Assassiner n'est pas seulement tuer... » Dans ses poches, ses mains hésitantes tenaient, la droite un rasoir fermé, la gauche un court poignard. Il les enfonçait le plus possible, comme si la nuit n'eût pas suffi à cacher ses gestes. Le rasoir était plus sûr, mais Tchen sentait qu'il ne pourrait jamais s'en servir ; le poignard lui répugnait moins. Il lâcha le rasoir dont le dos pénétrait dans ses doigts crispés ; le poignard était nu dans sa poche, sans gaine. Il le fit passer dans sa main droite, la gauche retombant sur la laine de son chandail et y restant collée. Il éleva légèrement le bras droit, stupéfait du silence qui continuait à l'entourer, comme si son geste eût dû déclencher quelque chute. Mais non, il ne se passait rien : c'était toujours à lui d'agir.

Ce pied vivait comme un animal endormi. Terminait-il un corps ? « Est-ce que je deviens imbécile ? » Il fallait voir ce corps. Le voir, voir cette tête ; pour cela, entrer dans la lumière, laisser passer sur le lit son ombre trapue. Quelle était la résistance de la chair ? Convulsivement, Tchen enfonça le poignard dans son bras gauche. La douleur (il n'était plus capable de songer que c'était *son* bras), l'idée du supplice certain si le dormeur s'éveillait le délivrèrent une seconde : le supplice valait mieux que cette atmosphère de folie. Il s'approcha : c'était bien l'homme qu'il avait vu, deux heures plus tôt, en pleine lumière. Le pied, qui touchait presque le pantalon de Tchen, tourna soudain comme une clef, revint à sa position dans la nuit tranquille. Peut-être le dormeur sentait-il une présence, mais pas assez pour s'éveiller... Tchen frissonna : un insecte courait sur sa peau. Non ; c'était le sang de son bras qui coulait, goutte à goutte. Et toujours cette sensation de mal de mer.

Un seul geste, et l'homme serait mort. Le tuer n'était rien : c'était le toucher qui était impossible. Et il fallait frapper avec précision. Le dormeur, couché sur le dos, au milieu du lit à l'européenne, n'était habillé que d'un caleçon court, mais, sous la peau grasse, les côtes n'étaient pas visibles. Tchen devait prendre pour repères les pointes sombres des seins. Il savait combien il est difficile de frapper de haut en bas. Il tenait donc le poignard la lame en l'air, mais le sein gauche était le plus éloigné : à travers le filet de la moustiquaire, il eût dû frapper à longueur de bras, d'un mouvement

MARIANNE — 13 Décembre 1933

VIENT DE PARAITRE

PRIX INTERALLIÉ
L'homme du Brésil

ANDRÉ MALRAUX
PRIX GONCOURT
La Condition humaine

Un chapitre inédit de « La Condition Humaine »

par André Malraux, Prix Goncourt 1933

le livre de la Semaine

Les Prix Littéraires

André Malraux : LA CONDITION HUMAINE
Geneviève Fauconnier : CLAUDE
Charles Braibant : LE ROI DORT
Robert Bourget-Pailleron : L'HOMME du BRÉSIL

ANDRÉ MALRAUX

André Malraux

Romain Fernandez

LA CONDITION HUMAINE

à qui vient d'être décerné

LE PRIX GONCOURT 1933

est publié à la

nrf

ANDRÉ MALRAUX
PRIX GONCOURT

LES CONQUÉRANTS
LA VOIE ROYALE

CHEZ GRASSET

courbe comme celui du swing. Il changea la position du poignard : la lame horizontale. Toucher ce corps immobile était aussi difficile que frapper un cadavre, peut-être pour les mêmes raisons. Comme appelé par cette idée de cadavre, un râle s'éleva. Tchen ne pouvait plus même reculer, jambes et bras devenus complètement mous. Mais le râle s'ordonna : l'homme ne râlait pas, il ronflait. Il redevint vivant, vulnérable ; et, en même temps, Tchen se sentit bafoué. Le corps glissa d'un léger mouvement vers la droite. Allait-il s'éveiller maintenant ! D'un coup à traverser le plancher, Tchen l'arrêta dans un bruit de mousseline déchirée, mêlé à un choc sourd. Sensible jusqu'au bout de la lame, il sentit le corps rebondir vers lui, relancé par le sommier métallique. Il raidit rageusement son bras pour le maintenir : les jambes revenaient ensemble vers la poitrine, comme attachées ; elles se détendirent d'un coup. Il eût fallu frapper de nouveau, mais comment retirer le poignard ? Le corps était toujours sur le côté, instable, et, malgré la convulsion qui venait de le secouer, Tchen avait l'impression de le tenir fixé au lit par son arme courte sur quoi pesait toute sa masse. Dans le grand trou de la moustiquaire, il le voyait fort bien : les paupières s'étaient ouvertes, – avait-il pu s'éveiller ? –, les yeux étaient blancs. Le long du poignard le sang commençait à sourdre, noir dans cette fausse lumière. Dans son poids, le corps, prêt à retomber à droite ou à gauche, trouvait encore de la vie. Tchen ne pouvait lâcher le poignard. A travers l'arme, son bras raidi, son épaule douloureuse, un courant d'angoisse s'établissait entre le corps et lui jusqu'au fond de sa poitrine, jusqu'à son cœur convulsif, seule chose

qui bougeât dans la pièce. Il était absolument immobile ; le sang qui continuait à couler de son bras gauche lui semblait celui de l'homme couché ; sans que rien de nouveau fût survenu, il eut soudain la certitude que cet homme était mort. Respirant à peine, il continuait à le maintenir sur le côté, dans la lumière immobile et trouble, dans la solitude de la chambre. Rien n'y indiquait le combat, pas même la déchirure de la mousseline qui semblait séparée en deux pans : il n'y avait que le silence et une ivresse écrasante où il sombrait, séparé du monde des vivants, accroché à son arme. Ses doigts étaient de plus en plus serrés, mais les muscles du bras se relâchaient et le bras tout entier commença à trembler par secousses, comme une corde. Ce n'était pas la peur, c'était une épouvante à la fois atroce et solennelle qu'il ne connaissait plus depuis son enfance : il était seul avec la mort, seul dans un lieu sans hommes, mollement écrasé à la fois par l'horreur et par le goût du sang.

Il parvint à ouvrir la main. Le corps s'inclina doucement sur le ventre : le manche du poignard ayant porté à faux, sur le drap une tache sombre commença à s'étendre, grandit comme un être vivant. Et à côté d'elle, grandissant comme elle, parut l'ombre de deux oreilles pointues.

La porte était proche, le balcon plus éloigné, mais c'était du balcon que venait l'ombre. Bien que Tchen ne crût pas aux génies, il était paralysé, incapable de se retourner. Il sursauta : un miaulement. A demi délivré, il osa regarder. C'était un chat de gouttières qui entrait par la fenêtre sur ses pattes silencieuses, les yeux fixés sur lui. Une rage forcenée secouait Tchen à mesure qu'avançait l'ombre ; rien de vivant ne devait se glisser dans la farouche région où il était jeté : ce qui l'avait vu tenir ce couteau l'empêchait de remonter chez les hommes. Il ouvrit le rasoir, fit un pas en avant : l'animal s'enfuit par le balcon. Tchen se trouva en face de Shanghaï.

Secouée par son angoisse, la nuit bouillonnait comme une énorme fumée noire pleine d'étincelles ; au rythme de sa respiration de moins en moins haletante elle s'immobilisa et, dans la déchirure des nuages, des étoiles s'établirent dans leur mouvement éternel qui l'envahit avec l'air plus frais du dehors. Une sirène s'éleva, puis se perdit dans cette poignante sérénité. Au-dessous, tout en bas, les lumières de minuit reflétées à travers une brume jaune par le macadam mouillé, par les raies pâles des rails, palpitaient de la vie des hommes qui ne tuent pas. C'étaient là des millions de vies, et toutes maintenant rejetaient la sienne ; mais qu'était leur condamnation misérable à côté de la mort qui se retirait de lui, qui semblait couler hors de son corps à longs traits, comme le sang de l'autre ? Toute cette ombre immobile ou scintillante était la vie, comme le fleuve, comme la mer invisible au loin – la mer... Respirant enfin jusqu'au plus profond de sa poitrine, il lui sembla rejoindre cette vie avec une reconnaissance sans fond, – prêt à pleurer, aussi bouleversé que tout à l'heure. « Il faut filer... » Il demeurait, contemplant le mouvement des autos, des passants qui couraient sous ses pieds dans la rue illuminée, comme un aveugle guéri regarde, comme un affamé mange. Insatiable de vie, il eût voulu toucher ces corps. Au-delà du fleuve, une sirène emplit tout l'horizon : la relève des ouvriers de nuit, à l'arsenal. Que les ouvriers imbéciles vinssent fabriquer les armes destinées à tuer ceux qui combattaient pour eux ! Cette ville illuminée resterait-elle possédée comme un champ par son dictateur militaire, louée à mort, comme un troupeau, aux chefs de guerre et aux commerces d'Occident ? Son geste meurtrier valait un long travail des arsenaux de Chine : l'insurrection imminente qui voulait donner Shanghaï aux troupes révolutionnaires ne possédait pas deux cents fusils. Qu'elle possédât les pistolets à crosses (presque trois cents) dont cet intermédiaire, le mort, venait de négocier la vente avec le gouvernement et les insurgés, dont le premier acte devait être de désarmer la police pour armer leurs troupes, doublaient leurs chances. Mais, depuis dix minutes, Tchen n'y avait pas pensé une seule fois.

Et il n'avait pas encore pris le papier pour lequel il avait tué cet homme. Les vêtements étaient accrochés au pied du lit, sous la moustiquaire. Il chercha dans les poches. Mouchoir, cigarettes... Pas de portefeuille. La chambre restait la même : moustiquaire, murs blancs, rectangle net de lumière ; le meurtre ne change donc rien !... Il passa la main sous l'oreiller, fermant les yeux. Il sentit le portefeuille, très petit, comme un porte-monnaie. La légèreté de la tête, à travers l'oreiller, accrut encore son angoisse et lui fit rouvrir les yeux : pas de sang sur le traversin, et l'homme semblait à peine mort. Devrait-il donc le tuer à nouveau ? Mais déjà son regard rencontrait les yeux blancs, le sang sur les draps. Pour fouiller le portefeuille, il recula dans la lumière ; c'était celle d'un restaurant, plein du fracas des joueurs de mah-jong. Il trouva le document, conserva le portefeuille, traversa la chambre presque en courant, ferma à double tour, mit la clef dans sa poche. A l'extrémité du couloir de l'hôtel – il

Storm in Shanghai

s'efforçait de ralentir sa marche – pas d'ascenseur. Sonnerait-il ? Il descendit. A l'étage inférieur, celui du dancing, du bar et des billards, une dizaine de personnes attendaient la cabine qui arrivait. Il les y suivit. « La dancing-girl en rouge est épatante ! », lui dit en anglais son voisin, Birman ou Siamois un peu saoul. Il eut envie, à la fois, de le gifler pour le faire taire, et de l'étreindre parce qu'il était vivant. Il bafouilla au lieu de répondre ; l'autre lui tapa sur l'épaule d'un air complice. « Il pense que je suis saoul aussi... » Mais l'interlocuteur ouvrait de nouveau la bouche. « J'ignore les langues étrangères », dit Tchen en pékinois. L'autre se tut, regarda, intrigué, cet homme jeune sans col, mais en chandail de belle laine. Tchen était en face de la glace intérieure de la cabine. Le meurtre ne laissait aucune trace sur son visage... Ses traits plus mongols que chinois : pommettes aiguës, nez très écrasé mais avec une légère arête, comme un bec, n'avaient pas changé, n'exprimaient que la fatigue ; jusqu'à ses épaules solides, ses grosses lèvres de brave type, sur quoi rien d'étranger ne semblait peser ; seul son bras, gluant dès qu'il le pliait, et chaud... La cabine s'arrêta. Il sortit avec le groupe.

La Condition humaine, 1933.

Cinéma et roman, une longue histoire

Malraux lui-même analyse, dans son «Esquisse d'une psychologie du cinéma», en 1946, les rapports qu'entretiennent ces deux arts.

A sa sortie en 1945, « L'Espoir », premier et unique film de Malraux, reçoit le prix Louis-Delluc.

La séquence est l'équivalent du chapitre. Le cinéma n'a pas cette division plus large qu'expriment les parties dans le roman et les actes dans le théâtre. Le muet connaissait les parties, le parlant ne les connaît plus, et les découpeurs rencontrent là un permanent obstacle ; car le parlant ne veut pas de vides et met la continuité du récit au premier plan de ses moyens d'action.

Parce qu'il est devenu récit, et que son véritable rival n'est plus le théâtre, mais le roman.

Le cinéma peut raconter une histoire, et là est sa puissance. Lui, et le roman ; et, lorsque le parlant fut inventé, le muet avait beaucoup pris au roman.

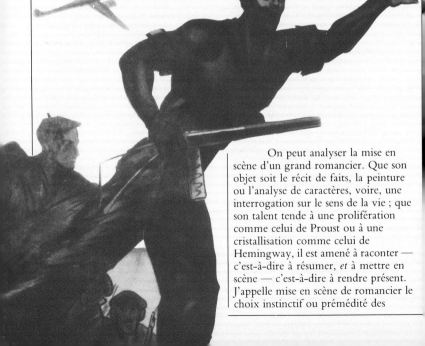

On peut analyser la mise en scène d'un grand romancier. Que son objet soit le récit de faits, la peinture ou l'analyse de caractères, voire, une interrogation sur le sens de la vie ; que son talent tende à une prolifération comme celui de Proust ou à une cristallisation comme celui de Hemingway, il est amené à raconter — c'est-à-dire à résumer, *et* à mettre en scène — c'est-à-dire à rendre présent. J'appelle mise en scène de romancier le choix instinctif ou prémédité des instants auxquels il s'attache et des moyens qu'il emploie pour leur donner une importance particulière.

Chez presque tous, la marque immédiate de la mise en scène, c'est le passage du récit au dialogue.

Le dialogue dans le roman sert d'abord à exposer.

C'est le procédé anglais de la fin du XIXe siècle, celui de Henry James et de Conrad. Il tend à supprimer l'absurdité du romancier omniscient et remplace cette convention par une autre. Le cinéma essaie de se servir le moins possible de ce dialogue-là, comme le roman moderne d'ailleurs.

Ensuite, à caractériser les personnages. Stendhal pensait beaucoup plus à caractériser Julien Sorel par ses actes que par le ton de sa voix ; mais le problème du ton passe, au XXe siècle, au premier plan du roman. Il est devenu un des moyens d'expression du caractère, un des moyens de l'existence même du personnage. Proust, qui voyait peu ses personnages, les fait parler avec un art d'aveugle, qui donne l'impression que nombre de ses scènes, bien lues, seraient plus aiguës à la radio, où l'acteur est invisible, qu'au théâtre. Mais le cinéma, comme le théâtre, attache moins d'importance que le roman au dialogue de ton, parce que l'acteur suffit à donner au personnage une existence physique et même une part de personnalité.

Enfin, le dialogue essentiel : celui de la « scène ».

Celui-là n'est pas généralisable. Il est ce que fait de lui chaque grand artiste : suggestif, dramatique, elliptique, isolé soudain de tout au monde comme chez Dostoïevski, ou lié à tout l'univers comme chez Tolstoï. Mais chez chacun il est le grand moyen d'action sur le lecteur, la possibilité de rendre une scène *présente* – la troisième dimension.

Et c'est sur ce dialogue – dont le film vient de découvrir la nature et l'efficacité – que le cinéma fonde maintenant une partie de sa force. Dans les derniers films, le metteur en scène *passe au dialogue*, après de longues parties de muet, exactement comme un romancier passe au dialogue après de longues parties de récit.

Le romancier dispose d'un autre grand moyen d'expression : c'est de lier un moment décisif de son personnage à l'atmosphère ou au cosmos qui l'entoure. Conrad l'emploie presque systématiquement et Tolstoï en a tiré une des plus belles scènes romanesques du monde, la nuit du prince André blessé qui contemple les nuages après Austerlitz. Le cinéma russe l'employait avec force à sa grande époque.

Le roman semble pourtant conserver sur le film un avantage : la possibilité de passer à *l'intérieur* des personnages. Mais, d'une part, le roman moderne semble de moins en moins analyser ses personnages dans leurs instants de crise ; d'autre part, une psychologie dramatique – celle de Shakespeare et, dans une bonne mesure, de Dostoïevski – où les secrets sont suggérés soit par les actes, soit par les demi-aveux (Smerdiakow, Stavroguine), n'est peut-être ni moins puissante artistiquement ni moins révélatrice que l'analyse. Enfin, la part de mystère de tout personnage non élucidé, si elle est exprimée, comme elle peut l'être à l'écran, par le mystère du visage humain, concourt peut-être à donner à une œuvre ce ton de question posée à Dieu sur la vie, d'où quelques rêveries invincibles – les grandes nouvelles de Tolstoï par exemple – tirent leur grandeur.

La Gestapo interroge à six heures

Le 23 juillet 1944, Malraux est arrêté par la Gestapo. Les « Antimémoires » mettent en scène ce temps de l'angoisse...

A deux heures, une ronde s'arrêta dans quelques cellules. Puis notre porte s'ouvrit. Un Allemand en civil dit :
« Malraux, six heures. »
C'était l'interrogatoire de la Gestapo.

Je m'aperçus que je croyais qu'elle m'avait oublié. J'essayai de tirer de mes compagnons ce qu'ils savaient de précis. La fraternité qui m'entourait depuis que la porte s'était refermée était celle d'une veillée funèbre. Même de la part des trafiquants du marché noir. La plupart de mes camarades appelaient Gestapo la police militaire qui les avait assommés. Le prisonnier à la baignoire, lui, savait ce dont il parlait. Mais les Allemands l'avaient interrogé pour le contraindre à indiquer où se trouvaient

les postes émetteurs de son groupe. Il avait été torturé à deux reprises, séparées par trois jours. Quand un membre du groupe était pris, les postes déménageaient. Il avait tenu la première fois, et donné, la seconde, l'adresse d'un appartement devenu vide.

Ce que je tentais – en vain – de tirer au clair, c'était le terrain sur lequel j'allais me battre. « Ce que les copains racontent ne sert à rien, dit André : ce n'est jamais la même chose... » Un interrogatoire relatif aux maquis ? j'étais arrêté depuis trop longtemps. Une confrontation ? Se servir de moi comme appât ? C'était prévu. Le maquis de Montignac disposait de grottes où les Allemands ne pourraient le poursuivre. Il avait été convenu que si l'un de nous s'approchait en se grattant le nez, il serait suivi par les Allemands ; les nôtres tireraient à la tête avant de filer, pour qu'il ne retombât pas sous la torture. Et j'avais là-bas deux camarades d'Espagne.

Mais la Gestapo avait vraisemblablement eu communication de mon dossier. Mieux renseignée que la presse, elle savait donc que je n'avais jamais été membre du parti communiste, ni des Brigades internationales, mais elle savait que j'étais un des présidents du Comité mondial antifasciste, et de la Ligue contre l'antisémitisme ; et que j'avais commandé l'aviation étrangère au service de la République espagnole, au temps où les partis communistes ne savaient pas encore ce qu'ils allaient faire. Elle avait dix fois de quoi me fusiller. Pourquoi m'interroger ? Nul n'envisage allégrement la torture. Je pensais que j'avais beaucoup écrit sur elle, et que ça tournait à la prémonition.

Six heures. Les prisonniers s'étaient approchés de la porte. Quand elle s'ouvrit, ils étaient des deux côtés, et chacun me tendit la main.

Le même civil que ce matin. Les deux gardiens. Nous descendîmes. Je croyais que nous retournions à l'hôtel, mais nous tournâmes du côté opposé à la rue. La cour était entourée d'arcades. Des gardiens allemands jouaient à saute-mouton. L'un d'eux rata son saut, tomba, et m'engueula au passage. Nous nous arrêtâmes devant une porte assez petite, comme celles des bureaux de nos casernes. Avant que mes gardes aient frappé, elle s'ouvrit devant deux soldats qui portaient un malheureux au type israélite : visage tuméfié, un filet de sang au coin de la bouche, et de courts gestes de ses courts bras, comme pour se protéger encore.

Nous pénétrâmes dans une sorte de corps de garde. Tintamarre extravagant : un soldat tapait à coups de marteau sur une plaque de tôle qu'il tenait de la main gauche par une chaîne. Ce chahut couvrait des hurlements.

Une prisonnière hagarde essayait convulsivement d'introduire une cuiller de thé entre les dents d'un prisonnier dont on ne distinguait plus les traits écrasés, sans doute évanoui. Elle répandait son thé comme si elle l'eût jeté à la volée, et recommençait. On me passa les menottes, les bras dans le dos. Nous entrâmes dans la pièce suivante. A droite et à gauche, des portes ouvertes sur deux hommes attachés les mains aux pieds, et que l'on martelait à coups de bottes et d'une sorte de matraque que je ne distinguais pas. Malgré le fracas, il me semblait entendre le bruit mat des coups sur les corps nus. J'avais déjà ramené les yeux devant moi, de honte plus que de peur, peut-être. Un blondinet frisé, assis derrière un bureau, laissait errer sur moi un regard sans expression. J'attendais d'abord un interrogatoire d'identité.

« Inutile de répondre des conneries : la Galitzina, maintenant, travaille pour nous ! »

De quoi s'agissait-il ? Qu'il fît fausse route pouvait être bon. L'important était de rester lucide, malgré l'atmosphère, le chahut, et le sentiment d'être manchot.

« Vous avez passé dix-huit mois en Russie soviétique ?

— Je n'ai jamais passé plus de trois mois hors de France depuis dix ans. Il est facile de le faire contrôler par le service des passeports.

— Vous avez passé un an chez nous ? »

Il était obligé de crier, et moi aussi.

« Jamais plus de quinze jours. J'ai donné les dates et les lieux de mes conférences dans vos universités à la police militaire qui m'a interrogé. »

Comme s'il piquait une crise (une fausse crise), il hurla, en se levant :

« Alors, vous êtes innocent ?

— De quoi ? J'ai commencé par déclarer, sans aucune pression, que je suis le chef militaire de ces départements. »

Il se rassit, m'envoya à toute volée le tampon-buvard à travers la figure, me manqua, n'insista pas. Quelque chose le surprenait. Il examinait mon uniforme sans galons ni décorations, ma seule jambière.

« Vous avez dit : depuis dix ans ?

— Oui.

— Et vous en avez trente-trois.

— Quarante-deux. »

Le coiffeur était venu la veille dans notre chambrée. Une barbe hirsute n'a pas d'âge ; mais, rasé de la veille, il était manifeste que j'avais plus de trente-trois ans.

Il sonna. Le batteur de tôle s'arrêta. Les cris, devenus des hurlements plaintifs, s'éloignèrent. La démonstration avait-elle assez duré ?

Pourtant je me sentais plus menacé que devant les mitrailleuses de la route de Gramat, ou le pseudo-peloton d'exécution. Il avait repris sa voix normale et presque perdu son accent.

« Vous prétendez que vous n'êtes pas le fils de Malraux Fernand et de Lamy Berthe, décédés ?

— Si.

— De quelle maladie est mort votre père ?

— Il s'est tué. »

Il feuilletait le dossier.

« Date ?

— 1930 ou 1931. Mais il n'y a pas d'erreur possible : dans ma famille, lui seul s'est appelé Fernand. »

Il me regarda comme pour dire agressivement : Alors, expliquez-moi ce qui se passe ! Je pensai au geste de mes mains écartées qui eût signifié : je n'en sais pas plus que vous. Mais elles étaient menottées derrière mon dos. Pourtant, ce qui se passait, je croyais le deviner.

Trente-trois ans, c'était l'âge de mon frère Roland. Lui, avait passé un an en Allemagne avant Hitler, dix-huit mois en Union soviétique. La soi-disant princesse Galitzine était sa maîtresse. C'était son dossier que Paris avait envoyé. Roland était entre leurs mains. Et s'ils n'avaient pas encore trouvé mon dossier, c'est que j'oublie toujours que je ne m'appelle pas André. On ne m'a jamais appelé autrement. Pourtant, à l'état civil, je m'appelle Georges. Or, la division blindée n'avait vraisemblablement pas transmis tous ses interrogatoires : elle avait seulement fait demander le dossier de Malraux André, que l'état civil n'avait pu trouver puisqu'il n'existe pas. Parmi les dossiers Malraux (dans la région de Dunkerque, j'ai cinquante-deux cousins, dont une trentaine portent mon nom) il avait pris le plus suspect. Mais il y avait autre chose dans le dossier, car on n'avait pas commencé par me frapper, et mon interrogateur ne me tutoyait pas.

« Vous avez affirmé que nos prisonniers étaient bien traités ? »

Donc, les interrogatoires envoyés par la division blindée étaient plus complets que je ne le croyais.

« Depuis, vous avez pu le faire contrôler par les indicateurs de la Milice.

— Pas la peine : nous les avons récupérés. »

J'en doutais.

« Vous êtes bien Berger, n'est-ce pas ?

— Oui.

— Donc, vous vous reconnaissez coupable ?

— De votre point de vue, ça ne se discute pas. »

Derrière moi, le civil prenait des notes. L'interrogateur feuilletait toujours le dossier.

« Il faut reprendre tout ça !... »

Puis, comme un chien tombe en arrêt, il me regarda, et cria, sur le ton de l'indignation devant tant de bêtise :

« Mais, nom de Dieu, qu'est-ce qui a pu vous pousser à aller vous foutre là-dedans ? »

Une seconde d'hésitation.

« Mes convictions. »

Il répondit, comme s'il crachait :

« Vos convictions ! On va voir ça ! »

Il quitta son bureau, passa dans la pièce voisine. Quoi qu'il advînt, je venais sans doute de faire, après bien d'autres, ce que j'aurais fait de plus courageux.

Au moins cinq minutes. Tout allait commencer, ou finir.

Un timbre d'appel.

Le civil rejoignit son collègue dans la pièce voisine, revint presque aussitôt, dit aux gardes de m'emmener, repartit.

Nous suivîmes le chemin par lequel nous étions venus. Sous les arcades, les gardiens jouaient toujours.

Je me mis à « voir » la pièce dans laquelle on m'avait interrogé, et que je croyais n'avoir pas regardée. Au mur, au-dessus d'un classeur, il y avait une publicité *Pernod Pontarlier* accrochée jadis dans tous les cafés. Des insectes couraient. L'homme attaché que le tortionnaire de droite soulevait à coups de botte était blond, et ensanglanté. Les traits de mon interrogateur frisé – yeux rapprochés, petit nez, petite bouche – s'inscrivaient dans un cercle beaucoup plus petit que sa face.

L'escalier. La chambrée. Serrements de mains. Stupéfaction générale.

« C'est partie remise, dis-je, ils n'avaient pas le bon dossier. »

Antimémoires, 1967 ;
Le Miroir des limbes, 1976.

Cependant, lorsqu'il s'adresse à Roger Stéphane, Malraux est plus direct...

Il était déjà tard dans la nuit quand Malraux me raconta son arrestation, le 23 juillet 1944. Il la décrira avec ce qui s'ensuivit dans les *Antimémoires* (II, 6). A cette rédaction, postérieure d'au moins douze ans à l'événement, je préfère le récit qu'il m'en fit quelques mois plus tard, plus nerveux, moins littéraire :

« J'ai tout de suite déclaré que

j'étais André Malraux. Ils ne m'ont pas cru et m'ont demandé où j'étais né : 71, rue Damrémont (c'est d'ailleurs inexact, je suis né au 73). Un type qui connaissait bien Paris m'a demandé où était la rue Damrémont. Je l'avais quittée à trois ans mais, par chance, j'y étais repassé une fois. Mon système de défense a consisté à paraître accepter de parler et à les convaincre que, quoique étant le colonel Berger, dont ils avaient déjà repéré la présence, je venais d'être parachuté de Londres – afin d'éviter d'être torturé. Je leur ai d'ailleurs déclaré : "Vous avez le choix entre deux solutions : me traiter en officier ennemi et m'envoyer en forteresse – me considérer comme un franc-tireur et me fusiller." Il y en avait une troisième : la torture, mais il valait mieux ne pas l'envisager. Alors, ils m'ont mis au mur, les mains levées, et ont commencé le simulacre d'une exécution. Je me suis retourné et les ai engueulés : tout de même, je ne suis pas un con. Je savais bien qu'ils ne me fusilleraient pas avant de m'avoir interrogé.

« A quoi ils ont répondu en m'interrogeant – après m'avoir mis les menottes aux mains derrière le dos – entre deux chambres ouvertes où on torturait. Ils m'ont demandé ce qui m'avait entraîné là-dedans. J'ai répondu : "Mes convictions." Réplique : "Vous allez voir ce qu'elles vont vous coûter, vos convictions". »

Les gardes prennent Malraux et l'emmènent dans leur voiture aux vitres peintes en noir. Il parvient, malgré tout, à reconnaître l'itinéraire qui conduit à la prison.

« Avec surprise, parce que ce n'est pas à la prison qu'on torture en général. Je me suis dit que peut-être, dans les sous-sols... A l'arrivée, on m'a enlevé les menottes et on m'a mis dans une cellule avec une douzaine de politiques.

– Tous communistes ?

– Non, deux seulement, un vieux et un jeune. Tous les jours, à tout moment, on venait chercher des détenus pour des séances de torture. Ils revenaient, ne parlaient presque pas et dormaient vingt-quatre ou quarante-huit heures de suite.

– Ce qu'il y a de pire dans la torture, c'est l'humiliation.

– Je crois qu'Alain a raison : la gifle épouse toujours la forme de la joue. Ce qu'il y a de pire, ce n'est pas la torture, c'est le recommencement. J'ai vu un homme se tuer pour ne pas être torturé une quatrième fois. Il s'est tué avec des verres de lunettes.

« La baignoire : un jour, un homme était plongé pour la quatrième fois (la quatrième séance) dans la baignoire. Il avait les mains et les pieds attachés. On allait le faire basculer la tête dans l'eau quand la dactylo allemande s'est précipitée vers lui pour lui dire ce mot dostoïevskien avec un fort accent germanique : "Mais parlez, monsieur parlez, j'ai horreur de ça, moi !" Le type m'a dit qu'il y passerait toute sa vie mais qu'il la retrouverait. Il la haïssait comme je n'ai jamais vu haïr.

« Puis un jour, les F.F.I. sont arrivés et ont libéré la prison, je n'avais pas encore été torturé.

– Hasard ?

– C'est par hasard que je n'ai pas été torturé, mais ce n'est pas par hasard que je n'ai pas été rudoyé. Je crois que ce sont toujours les mêmes qui reçoivent les beignes. »

in Roger Stéphane,
*André Malraux,
entretiens et précisions,*
1984.

L'art est un anti-destin

Après avoir cherché dans ses romans l'essence des individus, Malraux s'attache maintenant à trouver celle de l'art. Il ne s'agit pas de glorifier l'art pour lui-même, mais de montrer qu'il est une voie, la voie qu'emprunte l'homme pour faire face au destin.

L'art ne délivre pas l'homme de n'être qu'un accident de l'univers ; mais il est l'âme du passé au sens où chaque religion antique fut une âme du monde. Il assure pour ses sectateurs, quand l'homme est né à la solitude, le lien profond qu'abandonnent les dieux qui s'éloignent. Si nous introduisons dans notre civilisation tant d'éléments ennemis, comment ne pas voir que notre avidité les fond en un passé devenu celui de sa plus profonde défense, séparé du vrai par sa nature même ? Sous l'or battu des masques de Mycènes, là où l'on chercha la poussière de la beauté, battait de sa pulsation millénaire un pouvoir enfin réentendu jusqu'au fond du temps. A la petite plume de Klee, au bleu des

raisins de Braque, répond du fond des empires le chuchotement des statues qui chantaient au lever du soleil. Toujours enrobé d'histoire, mais semblable à lui-même depuis Sumer jusqu'à l'école de Paris, l'acte créateur maintient au long des siècles une reconquête aussi vieille que l'homme. Une mosaïque byzantine et un Rubens, un Rembrandt et un Cézanne expriment des maîtrises distinctes, différemment chargées de ce qui fut maîtrisé ; mais elles s'unissent aux peintures magdaléniennes, dans le langage immémorial de la conquête, non dans un syncrétisme de ce qui fut conquis. La leçon des Bouddhas de Nara ou celle des Danses de Mort civaïtes n'est pas une leçon de bouddhisme ou d'hindouisme ; et le Musée Imaginaire est la suggestion d'un vaste possible projeté par le passé, la révélation de fragments perdus de l'obsédante plénitude humaine, unis dans la communauté de leur présence invaincue. Chacun des chefs-d'œuvre est une purification du monde, mais leur leçon commune est celle de leur existence, et la victoire de chaque artiste sur sa servitude rejoint, dans un immense déploiement, celle de l'art sur le destin de l'humanité.

L'art est un anti-destin.

L'humanisme, ce n'est pas dire : « Ce que j'ai fait, aucun animal ne l'aurait fait », c'est dire : « Nous avons refusé ce que voulait en nous la bête, et nous voulons retrouver l'homme partout où nous avons trouvé ce qui l'écrase. » Sans doute, pour un croyant, ce long dialogue des métamorphoses et des résurrections s'unit-il en une voix divine, car l'homme ne devient homme que dans la poursuite de sa part la plus haute ; mais il est beau que l'animal qui sait qu'il doit mourir, arrache à l'ironie des nébuleuses le chant des constellations, et qu'il le lance au hasard des siècles, auxquels il imposera des paroles inconnues. Dans le soir où dessine encore Rembrandt, toutes les Ombres illustres, et celles des dessinateurs des cavernes, suivent du regard la main hésitante qui prépare leur nouvelle survie ou leur nouveau sommeil...

Et cette main, dont les millénaires accompagnent le tremblement dans le crépuscule, tremble d'une des formes secrètes, et les plus hautes, de la force et de l'honneur d'être homme.

Les Voix du silence,
1951.
ANDRÉ MALRAUX

La réflexion sur l'art prend naissance dans le choc des siècles, de l'art antique à Le Corbusier.

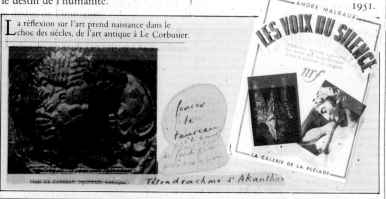

Tétradrachme d'Akanthos

Ministre, pour quoi faire ?

Ministre du rayonnement français, ministre de la Culture, Malraux s'engage avec de Gaulle à mettre en pratique ses idées sur l'art, la pensée et leur diffusion. Il précise, pour Roger Stéphane, ce qu'il entend par là.

Mallarmé raconte que la nuit, il écoute les chats qui se parlent dans les gouttières. Ça ne l'intéresse pas vraiment jusqu'à ce qu'arrive son propre chat, brave Raminagrobis, très sage, qu'un autre chat interroge : « Qu'est-ce que tu fais en ce moment ? », et le chat de répondre : « Je feins d'être chat chez Mallarmé. »

Malraux feignait-il d'être ministre de De Gaulle ? A cette interrogation fréquemment posée, j'ai des réponses différentes :

« D'où peut-on le mieux arrêter la guerre d'Algérie ? de l'hôtel Matignon ou des Deux Magots ? Je n'ai pas cru que ce fût à partir des Deux Magots. Si je m'étais trompé, je l'aurais vu. »

Une autre fois :

« Il y a deux fonctions différentes dans le ministère : le terrain sur lequel le ministère devient un ministère de chats, ce sont les honneurs, vous pensez bien que je m'en fiche. D'autre part, il y a ce qu'on peut faire – à quoi j'attache une énorme importance. Ça ne m'est pas du tout égal d'avoir changé la couleur de Paris et surtout d'avoir transformé une ville triste en ville gaie.

« Ca ne m'est pas égal de penser que nous ferons les maisons de la culture.

SCULPTURE DE LARDERA POUR

« Dans un univers qui est à mes yeux, comme vous le savez, un univers passablement absurde, il y a quelque chose qui n'est pas absurde, c'est ce que l'on peut faire pour les autres.

« Lorsqu'on parle de droite ou de gauche, avant de savoir ce que racontent les gens, parce qu'on peut toujours raconter n'importe quoi, il faudrait savoir de qui ou de quoi ils

Des maisons de la culture (Grenoble) au blanchissement des monuments de Paris (Notre-Dame) : « Je ne suis pas solidaire d'une conception culturelle qui serait (...) aristocratique ».

sont solidaires. Il est bien évident que je ne suis pas solidaire d'une conception culturelle qui serait une conception... disons pour employer un mot bienveillant : aristocratique. Je suis absolument solidaire de l'autre conception.

« Mais si on vient me dire : "Si on faisait les soviets, on aurait des maisons de la culture dont profiterait davantage le peuple français", je répondrai que je n'en suis pas sûr du tout ; mais que si ça devait être vrai, les communistes vainqueurs seraient obligés de passer par le travail que j'ai effectué. Si je ne l'avais pas fait, il serait à faire. »

Sur l'exercice de son métier de ministre :

« Pour moi, commander a toujours consisté à manifester une supériorité fraternelle. S'il n'y a pas de supériorité, il n'y a pas de commandement. Les conservateurs de musées doivent savoir que je connais mieux qu'eux la peinture mais que nous l'aimons autant.

« Je ne considère pas du tout que je sois moins de gauche qu'à n'importe quel autre moment de ma vie ; ce que je considère, c'est que mon action immédiate ne consiste pas à faciliter la prise du pouvoir par le prolétariat, pour parler comme les marxistes. Car enfin, qu'est-ce que la révolution ? Si c'est la prise du pouvoir par les Deux Magots, ça n'a pas beaucoup d'importance.

« Or, en ce moment, je ne crois pas à la prise du pouvoir par le prolétariat et je ne crois pas qu'il soit raisonnable de la souhaiter. »

in Roger Stéphane,
André Malraux,
entretiens et précisions
1984.

En souvenir de la mort

Célébration des femmes anonymes broyées dans les camps de concentration et du héros solitaire mort sous la torture : dans le discours de la cathédrale de Chartres, en 1975, comme dans celui du Panthéon, en 1964, Malraux est l'homme des oraisons funèbres.

Les résistantes ont aussi besoin qu'on se souviennent d'elles, de leur héroïsme, de leur esclavage, et de leur mort...

Il y eut le grand froid qui mord les prisonnières comme les chiens policiers, la Baltique plombée au loin, et peut-être le fond de la misère humaine. Sur l'immensité de la neige, il y eut toutes ces taches rayées qui attendaient. Et maintenant il ne reste que vous, poignée de la poussière battue par les vents de la mort. Je voudrais que ceux qui sont ici, ceux qui seront avec nous ce soir, imaginent autour de vous les résistantes pendues, exécutées à la hache, tuées simplement par la vie des camps d'extermination. La vie ! A Ravensbrück, huit mille mortes politiques. Tous ces yeux fermés jusqu'au fond de la grande nuit funèbre ! Jamais tant de femmes n'avaient combattu en France.

Et jamais dans de telles conditions.

Je rouvrirai à peine le livre des supplices. Encore faut-il ne pas laisser ramener, ni limiter à l'horreur ordinaire, aux travaux forcés, la plus terrible entreprise d'avilissement qu'ait connue l'humanité. « Traite-les comme de la boue, disait la théorie, parce qu'ils deviendront de la boue. » D'où la dérision à face de bête, qui dépassait les gardiens, semblait au-delà des humains. « Savez-vous jouer du piano ? » dans le formulaire que remplissaient les détenues pour choisir entre le service du crématoire et les terrassements. Les médecins qui demandaient : « Y a-t-il des tuberculeux dans votre famille ? » aux torturés qui crachaient le sang. Le certificat médical d'aptitude à recevoir des coups. La rue du camp nommée :

« chemin de la Liberté ». La lecture des châtiments qu'encourraient celles qui plaisanteraient dans les rangs, quand sur le visage des détenues au garde-à-vous les larmes coulaient en silence. Les évadées reprises qui portaient la pancarte : « Me voici de retour ». La construction des seconds crématoires. Pour transformer les femmes en bêtes, l'inextricable chaîne de la démence et de l'horreur, que symbolisait la punition : « Huit jours d'emprisonnement dans la cellule des folles ».

Et le réveil, qui rapportait l'esclavage, inexorablement.

80 % de mortes.

Ce que furent les camps d'extermination, on le sut à partir de 1943. Et toutes les résistantes, et la foule d'ombres qui, simplement, nous ont donné asile, ont su au moins qu'elles risquaient plus que le bagne. J'ai dit que jamais tant de femmes n'avaient combattu en France ; et jamais nulle part, depuis les persécutions romaines, tant de femmes n'ont osé risquer la torture.

Transfert des cendres de Jean Moulin au Panthéon le 19 décembre 1964

Monsieur le Président de la République,

Voilà donc plus de vingt ans que Jean Moulin partit, par un temps de décembre sans doute semblable à celui-ci, pour être parachuté sur la terre de Provence, et devenir le chef d'un peuple de la nuit. Sans cette cérémonie, combien d'enfants de France sauraient son nom ? Il ne le retrouva lui-même que pour être tué ; et depuis, sont nés seize millions d'enfants...

Puissent les commémorations des deux guerres s'achever aujourd'hui par la résurrection du peuple d'ombres que cet homme anima, qu'il symbolise, et qu'il fait entrer ici comme une humble garde solennelle autour de son corps de mort.

Après vingt ans, la Résistance est devenue un monde de limbes où la légende se mêle à l'organisation. Le sentiment profond, organique, millénaire, qui a pris depuis son accent légendaire, voici comment je l'ai rencontré. Dans un village de Corrèze, les Allemands avaient tué des combattants du maquis, et donné ordre au maire de les faire enterrer en secret, à l'aube. Il est d'usage, dans cette région, que chaque femme assiste aux obsèques de tout mort de son village en se tenant sur la tombe de sa propre famille. Nul ne connaissait ces morts, qui étaient des Alsaciens. Quand ils atteignirent le cimetière, portés par nos paysans sous la garde menaçante des mitraillettes allemandes, la nuit qui se retirait comme la mer laissa paraître les femmes noires de Corrèze, immobiles du haut en bas de la montagne, et

attendant en silence, chacune sur la tombe des siens, l'ensevelissement des morts français. Ce sentiment qui appelle la légende, sans lequel la Résistance n'eût jamais existé – et qui nous réunit aujourd'hui – c'est peut-être simplement l'accent invincible de la fraternité.

Comment organiser cette fraternité pour en faire un combat ? On sait ce que Jean Moulin pensait de la Résistance, au moment où il partit pour Londres : « Il serait fou et criminel de ne pas utiliser, en cas d'action alliée sur le continent, ces troupes prêtes aux sacrifices les plus grands, éparses et anarchiques aujourd'hui, mais pouvant constituer demain une armée cohérente de parachutistes *déjà en place*, connaissant les lieux, ayant choisi leur adversaire et déterminé leur objectif ». C'était bien l'opinion du général de Gaulle. Néanmoins, lorsque, le 1er janvier 1942, Jean Moulin fut parachuté en France, la Résistance n'était encore qu'un désordre de courage : une presse clandestine, une source d'informations, une conspiration pour rassembler ces troupes qui n'existaient pas encore. Or, ces informations étaient destinées à tel ou tel allié, ces troupes se lèveraient lorsque les alliés débarqueraient. Certes, les résistants étaient les combattants fidèles aux Alliés. Mais ils voulaient cesser d'être des Français résistants, et devenir la Résistance française.

C'est pourquoi Jean Moulin est allé à Londres. Pas seulement parce que s'y trouvaient des combattants français (qui eussent pu n'être qu'une légion), pas seulement parce qu'une partie de l'empire avait rallié la France Libre. S'il venait demander au général de Gaulle de l'argent et des armes, il venait aussi

" Aujourd'hui jeunesse, puisses-tu penser à cet homme comme tu aurais approché tes mains de sa pauvre face informe du dernier jour, de ses lèvres qui n'avaient pas parlé : ce jour-là, elle était le visage de la France "

lui demander « une approbation morale, des liaisons fréquentes, rapides et sûres avec lui ». Le général assumait alors le *Non* du premier jour ; le maintien du combat, quel qu'en fût le lieu, quelle qu'en fût la forme ; enfin, le *destin* de la France. La force des appels de juin 40 tenait moins aux « forces immenses qui n'avaient pas encore donné », qu'à : « Il faut que la France soit présente à la victoire. Alors, elle retrouvera sa liberté et sa grandeur ». La France, et non telle légion de combattants français. C'était par la France Libre que les résistants de Bir-Hakeim se conjuguaient, formaient une France combattante *restée* au combat. Chaque groupe de résistants pouvait se légitimer par l'allié qui l'armait et le soutenait, voire par son seul courage ; le général de Gaulle seul pouvait appeler les mouvements de Résistance à l'*union* entre eux et avec tous les autres combats, car c'était à travers lui seul, que la France livrait un seul combat. C'est pourquoi – même

lorsque le président Roosevelt croira assister à une rivalité de généraux ou de partis – l'armée d'Afrique, depuis la Provence jusqu'aux Vosges, combattra au nom du gaullisme – comme feront les troupes du parti communiste. C'est pourquoi Jean Moulin avait emporté, dans le double fond d'une boîte d'allumettes, la microphoto du très simple ordre suivant : « M. Moulin a pour mission de réaliser, dans la zone non directement occupée de la métropole, l'*unité d'action* de tous les éléments qui résistent à l'ennemi et à ses collaborateurs ».

Inépuisablement, il montre aux chefs des groupements, le danger qu'entraînerait le déchirement de la Résistance entre des tuteurs différents. Chaque événement capital – entrée en guerre de la Russie, puis des États-Unis, débarquement en Afrique du Nord – renforce sa position. A partir du débarquement, il devient évident que la France va redevenir un théâtre d'opérations. Mais la presse clandestine, les renseignements (même enrichis par l'action du Noyautage des administrations publiques) sont à l'échelle de l'occupation, non de la guerre. Si la Résistance sait qu'elle ne délivrera pas la France sans les Alliés, elle n'ignore plus l'aide militaire que son unité pourrait leur apporter. Elle a peu à peu appris que s'il est relativement facile de faire sauter un pont, il n'est pas moins facile de le réparer ; alors que s'il est facile à la Résistance de faire sauter deux cents ponts, il est difficile aux Allemands de les réparer à la fois. En un mot, elle sait qu'une aide efficace aux armées de débarquement est inséparable d'un plan d'ensemble. Il faut que sur toutes les routes, sur toutes les voies ferrées de France, les combattants clandestins désorganisent méthodiquement la concentration des divisions cuirassées allemandes. Et un tel plan d'ensemble ne peut être conçu, et exécuté, que par l'unité de la Résistance.

C'est à quoi Jean Moulin s'emploie jour après jour, peine après peine, un mouvement de Résistance après l'autre : « Et maintenant, essayons de calmer les colères d'en face... » Il y a, inévitablement, des problèmes de personnes ; et bien davantage, la misère de la France combattante, l'exaspérante certitude, pour chaque maquis ou chaque groupe-franc, d'être spolié au bénéfice d'un autre maquis ou d'un autre groupe, qu'indignent, au même moment, les mêmes illusions... Qui donc sait encore ce qu'il fallut d'acharnement pour parler le même langage à des instituteurs radicaux ou réactionnaires, des officiers réactionnaires ou libéraux, des trotzkistes ou communistes retour de Moscou, tous promis à la même délivrance ou à la même prison ; ce

qu'il fallut de rigueur à un ami de la République espagnole, à un ancien « préfet de gauche ». chassé par Vichy, pour exiger d'accueillir dans le combat commun tels rescapés de la Cagoule !

Jean Moulin n'a nul besoin d'une gloire usurpée : ce n'est pas lui qui a créé *Combat, Libération, Franc-Tireur*, c'est Frenay, d'Astier, Jean-Pierre Lévy. Ce n'est pas lui qui a créé les nombreux mouvements de la zone Nord dont l'histoire recueillera tous les noms. Ce n'est pas lui qui a fait les régiments, mais c'est lui qui a fait l'armée.

Attribuer peu d'importance aux opinions dites politiques, lorsque la nation est en péril de mort – la nation, non pas un nationalisme alors écrasé sous les chars hitlériens, ı a donnée invincible et mystérieuse 'lait emplir le siècle ; penser qu'elle dominerait bientôt les doctrines totalitaires dont retentissait l'Europe ; voir dans l'unité de la Résistance le moyen capital du combat pour l'unité de la Nation, c'était peut-être affirmer ce qu'on a, depuis, appelé le gaullisme. C'était certainement proclamer la survie de la France.

En février, ce laïc passionné avait établi sa liaison par radio avec Londres, dans le grenier d'un presbytère. En avril, le Service d'information et de propagande, puis le Comité Général d'Études étaient formés ; en septembre, le Noyautage des Administrations publiques. Enfin, le général de Gaulle décidait la création d'un « Comité de Coordination » que présiderait Jean Moulin, assisté du chef de l'Armée secrète unifiée. La préhistoire avait pris fin. Coordonnateur de la Résistance en zone Sud, Jean Moulin en devenait le chef. En janvier 1943, le Comité directeur des Mouvements Unis de la Résistance (ce que, jusqu'à la Libération, nous appellerions les Murs), était créé sous sa présidence. En février, il repartait pour Londres avec le général Delestraint, chef de l'Armée secrète, et Jacques Dalsace.

De ce séjour, le témoignage le plus émouvant a été donné par le colonel Passy.

« Je revois Moulin, blême, saisi par l'émotion qui nous étreignait tous, se tenant à quelques pas devant le général et celui-ci disant, presque à voix basse : « Mettez-vous au garde-à-vous », puis : « Nous vous reconnaissons comme notre compagnon, pour la Libération de la France, dans l'honneur et par la victoire ». Et, pendant que de Gaulle lui donnait l'accolade, une larme, lourde de reconnaissance, de fierté, et de farouche volonté, coulait doucement le long de la joue pâle de notre camarade Moulin. Comme il avait la tête levée, nous pouvions voir encore, au travers de sa gorge, les traces du coup de rasoir qu'il s'était donné, en 1940, pour éviter de céder sous les tortures de l'ennemi ».

Les tortures de l'ennemi... En mars, chargé de constituer et de présider le Conseil National de la Résistance, Jean Moulin monte dans l'avion qui va le parachuter au nord de Roanne.

Ce Conseil National de la Résistance, qui groupe les Mouvements, les partis et les syndicats de toute la France, c'est l'unité précairement conquise, mais aussi la certitude qu'au jour du débarquement, l'armée en haillons de la Résistance attendra les divisions blindées de la Libération.

Jean Moulin en retrouve les membres, qu'il rassemblera si difficilement. Il retrouve aussi une Résistance tragiquement transformée. Jusque-là, elle avait combattu comme une armée, en face de la victoire, de la mort ou de la captivité. Elle commence à découvrir l'univers concentrationnaire, la certitude de la torture. Désormais, elle va combattre en face de l'enfer.

Ayant reçu un rapport sur les camps de concentration, il dit à son agent de liaison, Suzette Olivier : « J'espère qu'ils nous fusilleront avant ». Ils ne devaient pas avoir besoin de le fusiller.

La Résistance grandit, les réfractaires du Travail Obligatoire vont bientôt emplir les maquis ; la Gestapo grandit aussi, la milice est partout. C'est le temps où, dans la campagne, nous interrogeons les aboiements des chiens au fond de la nuit ; le temps où les parachutes multicolores, chargés d'armes et de cigarettes, tombent du ciel dans la lueur des feux des clairières ou des causses ; le temps des caves, et de ces cris désespérés que poussent les torturés avec des voix d'enfants... La grande lutte des ténèbres a commencé.

Le 27 mai 1943, a lieu à Paris, rue du Four, la première réunion du Conseil National de la Résistance.

Jean Moulin rappelle les buts de la France Libre : « Faire la guerre ; rendre la parole au peuple français ; rétablir les libertés républicaines dans un État d'où la justice sociale ne sera pas exclue et qui aura le sens de la grandeur ; travailler avec les Alliés à l'établissement d'une collaboration internationale réelle sur le plan économique et social, dans un monde où la France aura regagné son prestige.

Puis, il donne lecture d'un message du général de Gaulle, qui fixe pour premier but au premier Conseil de la Résistance, le *maintien de l'unité* de cette Résistance qu'il représente.

Au péril quotidien de la vie de chacun de ses membres.

Le 9 juin, le général Delestraint, chef de l'armée secrète enfin unifiée, est pris à Paris.

Aucun successeur ne s'impose. Ce qui est fréquent dans la clandestinité : Jean Moulin aura dit maintes fois avant l'arrivée de Serreules : « Si j'étais pris, je n'aurais pas même eu le temps de mettre un adjoint au courant... » Il veut donc désigner ce successeur avec l'accord des mouvements, notamment de ceux de la zone sud. Il rencontrera leurs délégués le 21, à Caluire.

Ils l'y attendent, en effet.

La Gestapo aussi.

La trahison joue son rôle – et le destin, qui veut qu'aux trois quarts d'heure de retard de Jean Moulin, presque toujours ponctuel, corresponde un long retard de la police allemande. Assez vite, celle-ci apprend qu'elle tient le chef de la Résistance.

En vain. Le jour où, au Fort Montluc à Lyon, après l'avoir fait torturer, l'agent de la Gestapo lui tend de quoi écrire puisqu'il ne peut plus parler, Jean Moulin dessine la caricature de son bourreau. Pour la terrible suite, écoutons seulement les mots si simples de sa sœur : « Son rôle est joué, et son calvaire commence. Bafoué, sauvagement frappé, la tête en sang, les organes éclatés, il atteint les limites de la souffrance humaine sans jamais trahir un seul secret, lui qui les savait tous ».

Comprenons bien que pendant les quelques jours où il pourrait encore parler ou écrire, le destin de la Résistance est suspendu au courage de cet homme. Comme le dit Mlle

Moulin, il savait tout.

Georges Bidault prendra sa succession. Mais voici la victoire de ce silence atrocement payé : le destin bascule. Chef de la Résistance martyrisé dans des caves hideuses, regarde de tes yeux disparus toutes ces femmes noires qui veillent nos compagnons : elles portent le deuil de la France, et le tien. Regarde glisser sous les chênes nains du Quercy, avec un drapeau de mousselines nouées, les maquis que la Gestapo ne trouvera jamais parce qu'elle ne croit qu'aux grands arbres. Regarde le prisonnier qui entre dans une villa luxueuse et se demande pourquoi on lui donne une salle de bain – il n'a pas encore entendu parler de la baignoire. Pauvre roi supplicié des ombres, regarde ton peuple d'ombres se lever dans la nuit de Juin constellée de tortures. Voici le fracas des chars allemands qui remontent vers la Normandie à travers les longues plaintes des bestiaux réveillés : grâce à toi, les chars n'arriveront pas à temps. Et quand la trouée des Alliés commence, regarde, préfet, surgir dans toutes les villes de France les Commissaires de la République – sauf lorsqu'on les a tués. Tu as envié, comme nous, les clochards épiques de Leclerc : regarde, combattant, tes clochards sortir à quatre pattes de leurs maquis de chênes, et arrêter avec leurs mains paysannes formées aux bazookas, l'une des premières divisions cuirassées de l'empire hitlérien, la division *Das Reich*.

Comme Leclerc entra aux Invalides, avec son cortège d'exaltation dans le soleil d'Afrique et les combats d'Alsace, entre ici, Jean Moulin, avec ton terrible cortège. Avec ceux qui sont morts dans les caves sans avoir parlé,

comme toi ; et même, ce qui est peut-être plus atroce, en ayant parlé ; avec tous les rayés et tous les tondus des camps de concentration, avec le dernier corps trébuchant des affreuses files de *Nuit et Brouillard*, enfin tombé sous les crosses ; avec les huit mille Françaises qui ne sont pas revenues des bagnes, avec la dernière femme morte à Ravensbrück pour avoir donné asile à l'un des nôtres. Entre avec le peuple né de l'ombre et disparu avec elle – nos frères dans l'ordre de la Nuit...

Commémorant l'anniversaire de la Libération de Paris, je disais : « Ecoute ce soir, jeunesse de mon pays, les cloches d'anniversaire qui sonneront comme celles d'il y a quatorze ans. Puisses-tu, cette fois, les entendre : elles vont sonner pour toi ».

L'hommage d'aujourd'hui n'appelle que le chant qui va s'élever maintenant, ce *Chant des Partisans* que j'ai entendu murmurer comme un chant de complicité, puis psalmodier dans le brouillard des Vosges et les bois d'Alsace, mêlé au cri perdu des moutons des tabors, quand les bazookas de Corrèze avançaient à la rencontre des chars de Runstedt lancés de nouveau contre Strasbourg. Écoute aujourd'hui, jeunesse de France, ce qui fut pour nous le Chant du Malheur. C'est la marche funèbre des cendres que voici. A côté de celles de Carnot avec les soldats de l'an II, de celles de Victor Hugo avec les Misérables, de celles de Jaurès veillées par la Justice, qu'elles reposent avec leur long cortège d'ombres défigurées. Aujourd'hui, jeunesse, puisses-tu penser à cet homme comme tu aurais approché tes mains de sa pauvre face informe du dernier jour, de ses lèvres qui n'avaient pas parlé ; ce jour-là, elle était le visage de la France.

Mao/Malraux...

En août 1967, Mao reçoit Malraux et l'ambassadeur de France. C'est une occasion fantastique, pour l'auteur des « Antimémoires », de comprendre, en une trop rapide discussion, le génie de celui qu'il appelle « l'empereur de bronze ».

Mao attache à la jeunesse la même importance que le général de Gaulle, que Nehru. Il semble penser que l'on peut porter plusieurs jugements sur la jeunesse chinoise, et souhaiter que l'on puisse en porter un autre que le sien. Il sait que notre ambassadeur a étudié la nouvelle pédagogie chinoise : le système « mi-travail, mi-étude », l'autorisation donnée aux étudiants de se présenter aux examens en apportant leurs livres scolaires... Il l'interroge avec attention :

« Depuis combien de temps êtes-vous à Pékin ?

— Depuis quatorze mois, mais je suis allé à Canton par le chemin de fer ; j'ai visité le Centre-Sud, ce qui m'a permis de voir, non sans émotion, monsieur le Président, la maison où vous êtes né, au Hou-nan ; j'ai vu le Sseutch'ouan, le Nord-Est. Et nous avons vu Lo-yang et Sian, avant Yenan. Partout j'ai été en contact avec le peuple. Contact superficiel ; mais celui que j'ai établi

1986年12月21日　星期日　第七版

1965年8月3日，毛泽东主席和刘少奇主席会

德烈·马尔罗先生（右二）。

avec les professeurs et les étudiants était un vrai contact – à Pékin, assez durable. Les étudiants sont orientés vers l'avenir que vous envisagez pour eux, monsieur le Président.

– Vous avez vu un aspect...

« Un autre a pu vous échapper...

« Et pourtant il a été vu et confirmé... Une société est un ensemble complexe...

« Savez-vous comment s'appelaient les chrysanthèmes, à la dernière exposition de Hang-tcheou ? La danseuse ivre, le vieux temple au soleil couchant, l'amant qui poudre sa belle...

« Il est possible que les deux tendances coexistent... mais bien des conflits se préparent... »

Dans ce pays où l'on ne parle que d'avenir et de fraternité, comme sa voix semble solitaire en face de l'avenir ! Je pense à une image puérile de mon premier livre d'Histoire : Charlemagne regardant au loin les premiers Normands remonter le Rhin...

« Ni le problème agricole ni le problème industriel ne sont résolus. Le problème de la jeunesse, moins encore. La révolution et les enfants, si l'on veut les élever, il faut les former... »

Ses enfants, confiés à des paysans pendant la Longue Marche, n'ont jamais été retrouvés. Il y a peut-être, dans une commune populaire, deux garçons d'une trentaine d'années laissés naguère avec tant d'autres et tant de cadavres, et qui sont les fils sans nom de Mao Tsé-toung.

« La jeunesse doit faire ses preuves... »

Une aura rend plus immobiles encore nos interlocuteurs. Bien différente de la trouble curiosité qui s'est établie lorsqu'ils ont attendu ce qu'il allait dire de la résurrection de la Chine. Il semble que nous parlions de la préparation secrète d'une explosion atomique. « Faire ses preuves... » Je me souviens de Nehru : « La jeunesse, je n'en attends rien. » Il y a vingt-cinq millions de jeunes communistes, dont presque quatre millions sont des intellectuels ; ce que Mao vient de dire suggère, et sans doute annonce, une nouvelle action révolutionnaire comparable à celle qui suscita les « Cent Fleurs », puis leur répression. Que veut-il ? Lancer la jeunesse et l'armée contre le Parti ?

« Que cent fleurs différentes s'épanouissent, que cent écoles rivalisent ! » Mao lança ce mot d'ordre qui semblait une proclamation de libéralisme, en un temps où il croyait la Chine « remodelée ». Les critiques auxquelles il faisait appel étaient les critiques « constructives » chères aux partis communistes : il comptait fonder sur elles les réformes nécessaires. Il se trouva devant la masse des critiques négatives, qui attaquaient jusqu'au Parti. Le retour à Sparte ne traîna pas ; on envoya les intellectuels se faire remodeler dans les communes populaires. Les adversaires du régime ont vu dans les « Cent Fleurs » un appât destiné à faire sortir du bois les opposants dupés. Mais Mao avait voulu sincèrement infléchir la ligne du Parti, comme il décida sincèrement et fermement de la rétablir dès qu'il comprit que la critique qu'il avait suscitée n'était point une autocritique. A maints égards, la situation serait la même, aujourd'hui, si l'on prenait pour mot d'ordre : que la jeunesse s'épanouisse.

Antimémoires, 1967 ;
Le Miroir des limbes, 1976.

Mai 68, ou un moment à replacer dans l'œuvre de Malraux...

Le lundi 6 mai 1968, Malraux voit Max Torrès, au ministère. Ancien de la guerre d'Espagne, communisant mal vu du Parti, ex-psychanalyste, ce professeur de chimie à Berkeley, qui ressemble à un Voltaire aux cheveux blancs, assiste avec le ministre, et par dépêches interposées, aux premiers troubles du mois de mai...

Mille cinq cents étudiants empêchent la police de manœuvrer stop Groupes importants se dirigent vers Denfert-Rochereau

Il y a quatre jours, l'UNEF (Union des étudiants) appelait étudiants, enseignants et travailleurs à se rassembler aujourd'hui à 18 h 30 place Denfert-Rochereau. Interdiction. Fermeture de la faculté de Nanterre. Quatre-vingt-trois blessés. Occupation de la Sorbonne par la police. Daniel Cohn-Bendit et ses camarades, chefs du Mouvement du 22 mars à Nanterre, devaient comparaître ce matin devant le conseil de discipline de l'Université. A 9 heures, l'UNEF renouvelait son appel contre l'interdiction. A 9 h 30, la commission disciplinaire annonçait qu'elle rendrait demain le verdict relatif à Cohn-Bendit et à ses camarades. A 13 heures, quatre mille manifestants quittaient la Faculté des sciences pour défiler jusqu'à la place des Victoires puis au quartier Latin. Vers 15 heures, ils se heurtaient boulevard Saint-Germain à la police de Paris et aux CRS rappelés de province. Ce matin, vingt professeurs, dont Kastler, prix Nobel, avaient pris position en faveur du Syndicat de l'enseignement supérieur et lancé un appel à leurs confrères ; à 16 heures le Syndicat appelait les enseignants « à descendre dans la rue avec leurs étudiants ». Ces enseignants inspiraient plus d'inquiétude aux postes périphériques de radio que ces étudiants. Le doyen de la Faculté des sciences, le professeur Zamansky, déclarait « voir dans ces manifestations

Dany le Rouge a fait trembler sur ses bases une Ve République qui s'endormait dans un confort intellectuel étouffant. Les fidèles du général répliquent en défilant sur les Champs-Élysées, Debré et Malraux en tête.

l'aboutissement d'une situation qui remonte à une quinzaine d'années ». Le ministre de l'Education nationale, Alain Peyrefitte, parlera ce soir à la radio et à la télévision.

La police a pour instructions d'isoler les agitateurs et de les arrêter ou refouler sans ménagements. Après deux heures de cette brillante tactique, en Allemagne fédérale, tous les étudiants passent du côté des agitateurs...

Mille enseignants quittent la faculté des sciences pour rejoindre la manifestation

Ce sont les informations ministérielles des jours de crise : barricades d'Alger, putsch des généraux. Lors des barricades, je pensais aux passagers qui entouraient le télex de mon paquebot en 1925 : LA GREVE GENERALE EST DECLAREE A CANTON. Le premier télex que j'ai vu suivait le match Carpentier-Dempsey...

La nuit du putsch des généraux d'Alger, j'étais à l'Intérieur avec Roger Frey, nommé la veille. A l'issue du Conseil, le général de Gaulle avait déclaré : « Faites ce que vous voudrez : je vais me coucher. » Déjà vers cinq heures, lorsque je lui signalais que la liaison entre l'Intérieur et la Guerre était mauvaise : « Bon, remédiez-y. Ça n'a pas d'importance. Ils ne feront rien : ce sont des militaires ! » Michel Debré préparait son discours à la télévision : « Rendez-vous tous sur les routes des aérodromes... » pour que les parachutistes trouvent devant eux le peuple de Paris.

Ils attendaient, près des avions, sur la piste d'Alger, nous avaient communiqué les Services spéciaux vers cinq heures du soir. Le vol passerait nécessairement dans le champ des radars de Sardaigne. Nous ne disposerions plus alors que de quelques heures. Au Conseil, le secrétaire d'Etat à l'Intérieur avait affirmé : « La police et les troupes de Paris n'engageront vraisemblablement pas le combat contre des assaillants porteurs de l'uniforme français. » Bien. Nous l'engagerions nous-mêmes. Derrière le Grand Palais, attendait un régiment de chars. Nous faisions équiper, et ferions armer les volontaires qui affluaient au ministère. Sur quel aérodrome les troupes de l'OAS allaient-elles se poser ? On venait de nous annoncer leur atterrissage sur un champ de la région parisienne. Ordre au préfet de contrôler l'information. Fausse. Comme nous aurions eu l'air intelligent, si nous avions fait hurler les sirènes ! Encore ne fallait-il pas le faire trop tard. Nous contrôlions chaque alerte auprès du maire. Heureusement : fausse alerte trois fois. Les fous ne manquaient pas. Toute la région parisienne à l'écoute, les cinquante boutons du téléphone branché sur toutes les préfectures, les radars de Sardaigne au fond de la nuit. L'OAS ne tenterait pas d'atterrir après l'aube. Toujours rien au large de Cagliari. A cinq heures du matin, les volontaires redevenaient civils ; je rentrai chez moi par une aube d'Espagne, l'aube insolite et banale des retours de mission...

Nous n'en sommes pas au branle-bas de combat. Cette nuit verra, au plus, une répétition générale, entre Denfert-Rochereau et le quartier Latin. Je tends les deux dépêches à Max ; il leur jette un coup d'œil, se lève, marche de long en large comme s'il leur répondait en continuant son monologue :

« Mon adolescence ici, c'était Bergson. Il ne joue plus aucun rôle.

Les barricades de la rue Gay-Lussac : étudiants contre CRS.

Même pour moi. L'individualisme de Barrès et surtout de Gide, tu te rends compte ! Le freudo-marxisme partout ! Sous l'Arc de triomphe, le tombeau du freudo-marxisme inconnu ! Je ne suis pas contre Freud, remarque : j'ai été psychanalyste. Pas contre Marx : j'ai combattu sous commandement communiste, je ne le regrette pas. Au fond, je m'en fous. Mais je n'aime pas la connerie, n'est-ce pas... Les gens deviennent crétins, et contents de l'être.

— Qui, les gens ? »

Le vaste lustre doré l'éclaire au passage ; puis il se perd dans l'ombre qui rejoint la nuit du Palais-Royal, un dernier reflet sur ses cheveux blancs qu'il agite et sur son index qu'il brandit :

« Qui ? Mes assistants, les étudiants, mes collègues, la presse, les intellectuels, etc. : tous ceux que je vois ! Surtout mes étudiants. Ils se prennent pour l'avenir, parce que dans les sciences et dans l'art, au XIXe siècle, l'avenir a toujours gagné. Je veux bien me faire traiter de vieux con, mais l'avenir leur sera aussi étranger qu'à moi ! L'avenir, Baudelaire ou Marx, n'est jamais ce qu'on croit ! Et si je parle de mes étudiants, hein, c'est parce que je suis bien élevé. Je pourrais parler des tiens ! Ils ont l'air brillants, aujourd'hui ! Ça ne m'émeut pas : j'ai suffisamment vu ça à Berkeley. Hier

chez nous, aujourd'hui chez vous, demain au Japon. On n'en a pas fini avec la jeunesse ! Au fond, je m'en fous.

— Pas moi. D'où tombe ta rage contre ce freudo-marxisme ?

— De la réalité à la noix dans laquelle nous vivons, vois-tu bien ! Et que personne ne connaîtra dans cent ans ! On parlera du vrai Freud, du vrai Marx. Malheur ! Si tu crois que les gars occupés à se colleter avec ta police du côté de Denfert-Rochereau ne sont pas freudo-marxistes, tu changeras d'avis ! Mais je tiens à mon dada. J'y reviens ! Quand j'étais à votre Sorbonne, que m'enseignait-on ? "Il y a une valeur des valeurs, qui est la vérité. La vérité, c'est ce qui est véritable." Freud et Marx accepteraient la phrase, bien sûr ! Mais celle de Marx que tout le monde cite : "Il ne s'agit pas seulement de comprendre le monde, il s'agit de le changer", commence à me casser les pieds. Dis donc ? Si on cessait un peu de changer le monde, pour essayer de le comprendre, pur-et-simplement ? »

Mobile, virevoltant, hennissant, il a l'air d'un acteur qui jouerait son propre rôle. Le Voltaire de Houdon ressemble d'ailleurs à un vieil acteur.

Le Miroir des limbes,
La Corde et les Souris, 1976.

De Gaulle/Malraux

Le 13 novembre 1970, le général de Gaulle meurt à Colombey-les-Deux-Eglises. Malraux, poignant, commente la mort de celui qu'il avait suivi.

Colombey, 13 novembre 1970

Dix minutes après la mort, le médecin quitte la Boisserie pour aller soigner les filles d'un cheminot. Mme de Gaulle demande à l'un des menuisiers de prendre l'alliance au doigt du Général ; leur travail à peine terminé, les deux menuisiers sont appelés par Mme Plique, dont le mari, cultivateur, vient de mourir aussi... Aujourd'hui, dans le jour gris des funérailles, je me hâte sous le glas de Colombey auquel répond celui de toutes les églises de France, et, dans mon souvenir, toutes les cloches de la Libération. J'ai vu le tombeau ouvert, les deux énormes couronnes sur le côté : Mao Tsé-toung, Chou En-lai. À Pékin, les drapeaux sont en berne sur la Cité interdite. À Colombey, dans la petite église sans passé, il y aura la paroisse, la famille, l'Ordre : les funérailles des chevaliers. La radio nous dit qu'à Paris, sur les Champs-Élysées qu'il descendit jadis, une multitude silencieuse commence à monter. Ici, dans la foule, derrière les fusiliers marins qui présentent les armes, une paysanne en châle noir, comme celles de nos maquis de Corrèze, hurle : « Pourquoi est-ce qu'on ne me laisse pas passer ! Il a dit : tout le monde ! Il a dit : tout le monde ! » Je pose la main sur l'épaule du marin : « Vous devriez la laisser, ça ferait plaisir au Général : elle parle comme la France. » Il pivote sans un mot, sans que ses bras bougent, semble présenter les armes à la France misérable et fidèle – et la femme se hâte en claudiquant vers l'église, devant le grondement du char qui porte le cercueil.

Dans sa retraite d'Irlande, la figure du général de Gaulle continue d'incarner pour Malraux, la grandeur de la France.

Champs-Élysées

Sauf au premier rang, l'ombre des cent drapeaux ensevelit ceux qui les portent. Tous ces vieux étendards mouillés, verticaux dans la nuit, dans le silence où cliquettent les décorations lentement secouées par la lenteur des pas, avancent comme les arbres des forêts de Shakespeare. L'Arc de triomphe seul est éclairé ; le fleuve coule dans les ténèbres encore étoilées de quelques boutiques. La nuit est trois fois présente : par l'heure, par l'éclairage de l'Arc, et par les nuages pressés dont la pluie surplombe la coulée des hommes, qu'enserrent les haies massives de spectateurs sur les trottoirs. Des ombres regardent couler d'autres ombres. Ce n'est pas une manifestation : d'un bout à l'autre de l'avenue, on ne parle qu'à mi-voix. Ce ne sont pas tout à fait des funérailles : il n'y a pas de cercueil. C'est une marche funèbre vers l'Arc devenu tombeau, vers la vaste oriflamme qui palpite devant les phares de DCA dont les faisceaux, bleu, blanc ou rouge, plombés par la nuit, font apparaître jusqu'aux nuages les gouttes de pluie, comme les rayons du soleil font apparaître avec indifférence leur atomes éternels.

Un reporter de Radio-Luxembourg, petit micro en main, rejoint un collègue, qui chuchote :

« Qu'est-ce qu'ils te racontent, les gars ?

— C'est plutôt les bonnes femmes, qui parlent. Les gars, quand je dis : "Avez-vous voté oui ?" beaucoup m'envoient paître ! Ceux-là ont dû voter non ; les bonnes femmes, elles, disent toutes un peu la même chose : "On lui doit bien ça !" ou "Pluie ou pas, on ira jusqu'au bout !" Une, m'a dit : "Faire jeter des fleurs, ça doit être Mme de Gaulle : vous pensez bien que c'est une idée de femme !..." Une autre, *L'Huma* sous le bras : "Je suis venue pour lui dire adieu." Aussi une vieille, à qui j'ai dit, la pauvre ! "Donnez-moi votre fleur, je la mettrai en même temps que la mienne. — Pas la peine : trois ans de Ravensbrück, trois heures de pluie, ça va." Et toi ?

— J'ai enregistré dans les queues, aux marchandes de violettes du Châtelet, aux fleuristes des avenues : tout est pareil. Il y a des gosses. Elles disent qu'ils se souviendront. J'en ai piqué une qui m'a dit : "Quel dommage qu'il ne nous voie pas !" »

Elle se trompait : le Général mort écoute ce silence que foulent confusément des centaines de milliers de pas. Plus présent qu'à Colombey, sauf lorsque, devant le char qui débouchait de la Boisserie, des femmes ont tendu des enfants. La pluie redouble. Beaucoup de gens portent des parapluies roulés (pour les ouvrir lorsque la cérémonie sera terminée ?). Des remous de foule tournoient lentement, venus des rues, des maisons, du métro. Le cours nocturne s'arrête. Une *Marseillaise* erre dans la pluie. Alors, chrysanthèmes, œillets, anémones, bouquets de violettes, passent de main en main vers l'Arc de triomphe. Ces fleurs n'appartiennent plus à personne : la terre salue la mort.

Le cortège reprend sa marche pas à pas à travers la grande nuit funèbre. Les mortes des camps, qui n'ont connu d'autres fleurs que celles qu'elles cultivaient pour leurs tortionnaires, accompagnent ce cortège de silence. Certaines n'étaient pas gaullistes ? C'est à tous, que le cortège va jeter ses fleurs ruisselantes.

Beaucoup de ceux qui avancent lentement étaient ici pour la manifestation de mai 68 ; beaucoup, à la Bastille pour la manifestation ennemie ; beaucoup, lorsque le général de Gaulle descendit les Champs-Élysées, devant les soldats couverts de rouge à lèvres. Ce cortège s'enfonce beaucoup plus profondément dans le passé, y rejoint celui qui vint saluer le cercueil de Victor Hugo. Le poète avait dit *non* vingt ans à l'Empire, à la défaite, à la répression. Bien plus loin dans la nuit, il y a évidemment le *non* sans âge. Le cortège monte comme le cortège thébain vers le tombeau d'Antigone. Le soldat inconnu, sur lequel se relève rageusement la Flamme, est aussi l'un de ces crieurs de *non* qui se relaient au-dessus de la flotte nocturne des vivants, au-dessus du fleuve souterrain de nos morts. Avec les femmes noires de Corrèze debout sur la tombe de leur famille, en l'honneur des maquisards ensevelis par les occupants qui venaient de les tuer. Avec les paysans qui venaient poser un kilo de sucre introuvable sous la croix de bois de nos compagnons fusillés. Que de femmes ! Les hommes portent mal les fleurs : si loin que remonte notre mémoire, il y a plus de femmes que d'hommes pour les offrandes, fût-ce au péril de leur vie. Buchenwald et Dachau montent vers l'arche funéraire, avec toutes les ombres qui choisirent d'accepter la mort – et plus que la mort. Soldats de nos chars, dactylos qui cachaient nos postes émetteurs, et la multitude suppliciée des camps d'extermination. La politique a enfin perdu son sens : les conseillers municipaux communistes sont là. Des femmes qui portent le petit drapeau à croix de Lorraine partagent leur bouquet avec des voisines qui portent *L'Huma* et n'ont pas trouvé de fleurs. Il ne s'agit ni du gaullisme ni seulement de la France. Ceux qui piétinent dans la nuit pluvieuse n'appartiennent plus qu'à la communion que leur révèle ce

mort sans cercueil. Comme les nôtres qui ont crié son nom au poteau d'exécution.

Un service d'ordre à brassards, sans uniforme, canalise le fleuve vers l'arche, beaucoup plus étroite que l'avenue. La place que fait briller la pluie reflète l'Arc de triomphe. Ceux qui n'ont pas pu aller plus loin ont accumulé leurs fleurs sous *La Marseillaise* de Rude. Le cortège avance. Des hippies ouvrent leur poncho pour en tirer des chrysanthèmes. Le grand drapeau où tentent de se réfugier les pigeons, emplit l'arche sonore de son claquement mouillé. Au-dessus des hippies, les listes des combats napoléoniens perdent dans l'ombre leur veillée de Victoires. Les vivants jettent leurs fleurs, et la Flamme, tour à tour rabattue et verticale, éteint et illumine leurs faces ruisselantes.

Le Miroir des limbes,
La Corde et les Souris,
1976.

Le libérateur descendant les Champs-Élysées, le chef d'État en représentation, le politique à Alger, entre Salan, Foccart et Soustelle (à sa droite) et Massu (à sa gauche). Trois rôles dans lesquels s'affirme le charisme du général de Gaulle.

TÉMOIGNAGES ET DOCUMENTS

INDEX

Les folios imprimés en caractères gras renvoient aux légendes du corpus.

A

B

C

CRÉDITS PHOTOGRAPHIQUES

AFP, Paris 62, 91, 99h, 113, 116, 118, 155. Agraci, Paris 120g. Archives *Canard enchaîné*, Paris 117. Archives *Express*, Paris 107. Archives Gallimard 20, 61, 65 © Spadem 78/79, 102, 103b, 130, 133, 134g, 134d, 136, 138, 149, 160. Bibliothèque nationale, Paris 48/49h, 60. Bridgeman/Giraudon, Paris 103. Bureau d'information indien 111. Charmet, Paris 12, 13. Cinémathèque française, Paris 74, 75. Cinémodé, Paris 140. Collection Pierre Bockel, © Michel Holz 113g. Collection André Chamson 89d. Collection Albert Kahn, Boulogne 35. Collection Madeleine Malraux 81g, 81d, 101. Collection Pierre Paturel 21. Collection Jean-Michel Place 22. Collection particulière 26, 27, 28g, 28d, 44, 45, 46, 47, 49b, 55b, 57, 72, 76, 80, 88, 94/95. Collection particulière, Mc Combe 115. Collection particulière, Michel Roi © Spadem 120d. Collection André de Vilmorin, © ADAGP 1987 57. Donation Kertesz, ministère de la Culture et de la Communication, Paris 33. Dorka 110/111. DR 84/85. École française d'Extrême-Orient, Paris 39h, 39b, 40/41, 42/43. Édimédia, Paris 25, 30h © ADAGP 1987. Gamma, Paris 108, 125, 168/169, 166. Gamma/Caron 162, 162/163, 165. Gamma/Lattès, Paris 113d. Gisèle Freund, Paris 50. David Harali 96, 126. Imapress, Paris 124. Izis Paris, © ADAGP 1987. Keystone, Paris 83, 99b, 106, 112. Magnum, Paris 114, 153. Magnum/Capa, Paris 51, 66/67, 68/69, 70, 169h. Magnum/Depardon, Paris 151. Magnum/Halsman, Paris 59. Magnum/Lehr, Paris 158. Magnum/Riboud, Paris 109, 119hbm. Yves Manciet, Paris 97. Musée national Georges-Pompidou, Paris 52/53 © ADAGP 1987. Musée du Prado, Madrid 104h, 104b, 105. Paris Match/Garolfo 122. Paris Match/Maurice Jarnoux 32, 92, 148. Photo Lelièvre, Paris 123. Florence Resnais, Paris 10, 14, 15, 16, 17, 19, 22, 22/23, 46, 52b, 58, 63hmb, 87, 95. René Saint-Paul 82, 89g, 94. Julien Segnaire 71, 73. Viollet, Paris 11, 18/19, 36/37, 54, 77, 85, 90, 142/143, 144, 152, 169b. Rapho/Georges Marry, Paris 150. R.M.N. Paris 30b © SPADEM, 31© SPADEM, 93, 127.

REMERCIEMENTS

Nous tenons à remercier les personnes et les organismes suivants pour l'aide qu'ils nous ont apportée dans la réalisation de cet ouvrage : Mrs Albert Beuret ; Jean Grosjean ; Jacqueline Blanchard des éditions Gallimard ; Mme Florence Resnais qui nous a autorisés à publier des photos personnelles ; Madame le conservateur Rageau de l'École française d'Extrême-Orient, qui nous a autorisés à publier des photos du site de Banteai Srei en 1924.

Table des matières

De Bondy la Grise aux temples
engloutis dans l'enfer vert
des jungles cambodgiennes,
de la couverture blanche
de « la Condition humaine »
Goncourt 1933
à Teruel la Rouge,
des maquis du Périgord noir
aux ors du ministère de la Culture,
une vie, un destin.

A 53029
ISBN : 2-07-053029-9

catégorie **5**

9 782070 530298